Gli indifferenti di ALBERTO MORAVIA

La collana è realizzata con la collaborazione
di MARIO MICCINESI

MARINELLA MASCIA GALATERIA

Come leggere
Gli indifferenti
di
Alberto Moravia

MURSIA

a mio padre

Anno   Edizione

96 95 94 93   4   5   6   7

I

ALBERTO MORAVIA

L'AMBIENTE

Si sa che il secolo XIX è stato duro a morire e che il novecento si inaugura per molti versi sul piano culturale col primo dopoguerra, dopo che l'avanguardia futurista ha disperso le ultime propaggini crepuscolari e decadenti; ma se il punto di partenza della poesia « nuova », in quanto estranea al magistero carducciano e dannunziano, può essere localizzato, con tutti i margini di errore evidentemente connessi alla precisa datazione di epoche letterarie, intorno al 1920, anno di pubblicazione dell'antologia *Poeti d'oggi*, composta da Papini e Pancrazi,[1] la questione, per quanto riguarda la narrativa, risulta piú problematica e contraddittoria.

Fatta eccezione per i casi precocissimi di Svevo e di Pirandello, che avevano iniziato la loro operazione di sganciamento progressivo dagli schemi naturalistici in vista di una piú congeniale dimensione narrativa, già con *Senilità* (1898) e con *Il fu Mattia Pascal* (1904), sulla scarsa popolarità del romanzo italiano negli anni '20, sia a livello di produzione che di consumo, pesava il magistero de « La Voce », soprattutto nella fase derobertisiana (1914-'16), e de « La Ronda » (1919-'22). Infatti l'azione culturale svolta da queste due riviste-pilota, l'una all'insegna del frammentismo, l'altra della prosa d'arte, finiva col funzionare come un programma dell'antinarrativa. In parti-

---

[1] È la tesi di Giacomo Debenedetti, esposta in *Il romanzo del '900*, Milano, Garzanti, 1971.

colare « La Voce » bianca[2] creava delle serie pregiudiziali stilistiche al romanzo con l'abolizione del tessuto strut-
turale-connettivo e con l'impiego di una scrittura calligra-
fica. Anche per quanto riguarda la materia oggetto del testo, De Robertis, nel considerare la lirica pura come unica, vera arte e rinnegando di fatto l'illustrazione, la psicologia, come intendimenti estranei al fatto poetico-lette-
rario, limitava all'autobiografia la realtà degna di essere
raccontata, restringeva al diario-confessione la dimensione narrativa (si pensi a *Il mio Carso* di Slataper, a *Un
uomo finito* di Papini, a *Lemmonio Boreo* di Soffici, a
Ragazzo di Jahier).

Per quanto concerne « La Ronda » poi, il suo impegno esclusivo sulla lingua e sullo stile, riflesso di una
concezione aristocraticamente autonoma dello specifico
letterario e strettamente qualitativa dell'opera d'arte, por-
tavano ad un rilancio dell'eleganza come segno distinti-
vo dello scrittore, ad un riaggancio pressoché esclusivo alla tradizione italiana, allo stile « classico » e « moderno »
insieme del Manzoni e soprattutto del Leopardi delle
Operette morali e dello *Zibaldone*, laddove la sua prosa
si fa modello di « divina superfluità ». Un discorso insomma tutto imbastito sullo stile come difesa della dignità del letterato, come « correttivo che depura l'artista e
ciò che egli produce dalle passioni meno nobili, e in mancanza del quale l'arte non si realizza e ne restano solo gli
antecedenti psicologici e le *basse descrizioni dei fatti* »,[3] po-
neva certo delle remore alla ricerca di una nuova via al
romanzo, tanto più se si considera anche l'atteggiamento
chiuso, ostile verso gli apporti della cultura straniera. L'invito di Cardarelli a essere moderni « senza spatriarci » trova conferma in una linea che va dai giudizi fortemente ne-
gativi della rivista sulla cultura francese,[4] sul Futurismo
(oltre che per il suo portato eversivo nei confronti della
tradizione anche per la sua dimensione « cosmopolita »:
« raccolse infine tutte le scemenze internazionali... e ne fece una specie di macchina da turismo catafratta »), al di-

[2] « La Voce », passata, per il ritiro definitivo di Prezzolini, nel dicembre 1914, sotto la direzione di Giuseppe De Robertis, si fa quin-
dicinale e muta il colore della copertina da giallo in bianco.
[3] « La Ronda », ottobre 1919 (corsivi miei).
[4] R. Bacchelli, *Francia*, « La Ronda », maggio 1920.

sgusto nei confronti dell'esperienza Dada definita « un
male ebraico-rumeno » o anche « una scempiataggine di
fattura balcanico-ebreo-svizzera »,[5] dove la chiusura all'Europa si vena di insinuazioni razzistiche.

Cosí « La Ronda », chiusa nel suo provincialismo, poteva avere tutt'al piú il merito di additare il Verga quale « esempio mirabile ed istruttivo di un grande poeta, intristito e guasto nel concetto romanzesco e romantico, il quale ritrovò una potente, feconda, ubertosa vena autentica di lingua e di fantasia nel ritorno alla sua terra e al suo costume »,[6] e di giudicare favorevolmente il Tozzi per la sua misura, il suo « passo solitario », e per « il fare piú dimesso e quasi contegnoso ».[7]

Questi giudizi, pur situati nella consueta prospettiva rondista, risultano significativi nella situazione contraddittoria della narrativa italiana in quegli anni; se infatti nei primi due decenni del secolo la ricerca piú viva, le forme piú interessanti e piú nuove si ponevano, sia pure con confusione e fatica, in una linea di distacco dalle formule veriste ormai logore (itinerario questo, come si è già detto, felicemente seguito da Svevo e da Pirandello già nell'anteguerra),[8] e se l'esigenza di un rinnovamento si faceva piú risentita nel periodo post-bellico, anche per l'esperienza futurista,[9] tuttavia una certa rinascita del gusto per il romanzo, intorno agli anni 1921-'22, sia da parte dei produttori sia da quella dei lettori (la volontà di un rilancio della narrativa risente tutto l'ascendente dei modelli veristi) porta con sé, in una reciprocità di causa

[5] Ibidem.
[6] Incontri e scontri: sur la condition présente des lettres italiennes, « La Ronda », novembre 1919.
[7] A. E. Saffi, « La Ronda », settembre 1919.
[8] Tale progressivo distacco è facilmente riscontrabile mettendo a confronto Una vita, dall'ambientazione ancora naturalistica, con Senilità e infine con La coscienza di Zeno; o ancora i primi due romanzi di Pirandello, L'esclusa e Il turno, con Il fu Mattia Pascal e con la successiva produzione narrativa dell'autore siciliano.
[9] L'esigenza di « rinnovare il romanzo europeo », facendo tabula rasa di tutta la sua produzione precedente, era sperimentata in proprio da Bontempelli ne La vita intensa e ne La vita operosa (1921-'22). Ancor prima Palazzeschi, nell'ultima parte di Allegoria di novembre (1908), ripubblicato piú tardi col titolo Riflessi, con il repentino abbandono dei moduli crepuscolari e decadenti, che aveva seguito precedentemente in tutto il corso del romanzo, evidenziava la ricerca di una via nuova al romanzo, che risolveva poi felicemente nel Codice di Perelà (1911), con l'assunzione di una chiave farsesca, di una struttura e di una lingua rinnovata, « irregolare » rispetto alle forme tradizionali.

e di effetti, la proposta critica di un romanzo antiframmentario, a tutto tondo, strutturato in funzione di una vicenda ripercorsa lungo l'intero suo arco.

Cosí in quegli stessi anni si pongono appunto la « rivalutazione » del Verga, già celebrata, attraverso un'attenta rilettura dei suoi libri, e l'apprezzamento del Tozzi, di cui veniva messa in luce soprattutto l'ansia di costruire il romanzo, la capacità di risolvere in forme oggettive anticrepuscolari e in una misura distesa, antivociana, un materiale autobiografico. A tale etichetta a senso unico di un autore come Tozzi, nella cui opera confluiscono diverse sollecitazioni culturali, a volte anche in contrasto tra loro, dava credito soprattutto il Borgese, che additava nello scrittore senese il modello per una nuova narrativa, che riscoprisse nel romanzo il gusto dell'opera di grande formato, di solida architettura, uno strumento di piena e complessa espressione artistica.[10] Esigenza questa assai risentita dal Borgese, probabilmente anche per la sua frequentazione della letteratura tedesca,[11] da lui evidenziata in sede critica (*Tempo di edificare* - 1923), e sperimentata personalmente nel *Rubè* (1921), romanzo chiave nell'itinerario contemporaneo, in cui la grandiosità della concezione e l'ampia tessitura rispondevano non tanto e non solo al progettato impianto naturalistico, quanto al recupero dell'intreccio, ad una complessità di motivi che si innestano, con sistematici ritorni, corrispondenze, simmetrie, a volte di valenza simbolica, intorno alla caratterizzazione del protagonista Filippo Rubè, personaggio in crisi (« uomo distrutto che *vede tutte le possibilità e ha smarrito tutti i criteri* »[12]), emblematico della piú vasta crisi di valori di tutta una società colta nel periodo che va dalle polemiche interventiste e neutraliste dell'anteguerra fino ai fermenti politici che preannunciano il fascismo. In tal sen-

[10] Borgese, che pure scoprí il Tozzi e gli fu amico, era a tal punto orientato verso una catalogazione naturalistica dell'opera di Tozzi, che, nel curare la pubblicazione postuma dei *Ricordi di un impiegato*, tagliò quanto non rientrava nello schema di una narrazione verista.
[11] Borgese ricoprí la cattedra di letteratura tedesca all'Università di Roma e poi di Milano fino al 1931, anno in cui si rifiutò, con altri dodici professori in tutta Italia, di prestare il giuramento di fedeltà richiesto dal regime.
[12] G. A. Borgese, *Rubè*, Milano, Mondadori, 1921. Qui citiamo dall'edizione Oscar Mondadori, 1974, p. 391, rimandando, per altre notizie sul romanzo, all'attenta introduzione di L. De Maria.

so il romanzo di Borgese, psicologico e politico, fatte le debite proporzioni riguardo alla struttura e alla lingua, può introdurci nell'ambito di quella narrativa che, attraverso l'analisi del personaggio inetto, velleitario, ci dà la diagnosi di una malattia piú vasta, storica, che intride di sé la borghesia del tempo.

Si parlava di introduzione, di intuizione di certe premesse ideologiche di un romanzo diverso; ché, se si eccettua Svevo e il caso isolato de *La coscienza di Zeno* (verificatosi però a Trieste, città notoriamente appartenente alla Mitteleuropa, e non per nulla scoperto e apprezzato solo a partire dal 1925), la cultura italiana non ha ancora recepito la linea nuova della narrativa europea, quella di Joyce e di Kafka, interrogativa invece che descrittiva, quella che ha captato lo strumento psicoanalitico, che non sceglie dati privilegiati ma elementi minimi che si epifanizzano, tesa a cercare il senso e non le cause delle cose, dal momento che è caduta per sempre la fiducia in una relazione deterministica e fissa tra movente e comportamento. Né la nostra narrativa poteva facilmente entrare in contatto con tali fermenti europei dal momento che il provincialismo e l'accademismo, tare costituzionali della letteratura italiana, sancite ancora dalla « Ronda », si vanno accentuando e codificando come strumenti della politica culturale del fascismo, al potere dall'ottobre del '22.

In questo clima di autarchia culturale voluta dal regime e di ristagno generale per la mancanza di punti di riferimento al di fuori del filone nostrano, l'apertura al romanzo europeo è portata avanti dal mensile « Il Baretti » (1924-'28), rientrando di fatto nelle piú vaste linee programmatiche della rivista e dell'ideologia illuministica gobettiana « *una volontà* di coerenza con le tradizioni e *di battaglia contro culture e letterature costrette nei limiti della provincia, chiuse dalle frontiere di dogmi angusti e di piccole patrie* ».[13] Prospettiva questa che proponeva all'intellettuale un ruolo alieno certo dall'allineamento alla politica culturale vigente, ma anche dall'isolamen-

[13] P. Gobetti, *Illuminismo*, in « Il Baretti », 23 dicembre 1924 (corsivi miei). Secondo le intenzioni di Gobetti, « Il Baretti » doveva agire sul piano della cultura militante svolgendo un itinerario parallelo a quello che « La Rivoluzione liberale » (1923-'25) aveva portato avanti nell'agone politico.

to di tipo rondista, e gli restituiva, nel chiaro richiamo a una cultura militante, lo spazio decoroso e non marginale del cittadino impegnato ad operare delle scelte letterarie che risultino indicative nel contesto storico-politico. Di qui l'esigenza di un discorso nuovo, teso alla semplicità e alla « chiarezza » in vista di una letteratura « civile, colta e popolare »[14] e il programma di ricerca di uno stile europeo per riaprire l'orizzonte chiuso e provinciale e per ristabilire il contatto col pubblico. E proprio a proposito della crisi del romanzo in Italia, « Il Baretti » (in un saggio di Arrigo Cajumi), analizzandone le specifiche condizioni socio-culturali, osservava la netta preferenza dei lettori per la produzione straniera rispetto a quella contemporanea nostrana e la riconduceva alla migliore qualità della narrativa europea, denunciando i nostri romanzieri come « produttori di merce di seconda qualità, che lavorano con i detriti altrui, salvo a reclamare dazi d'importazione e balzelli contro i libri di cui si sono serviti ».[15]

Di qui la necessità e insieme il carattere di avanguardia dell'operazione gobettiana, volta sistematicamente alla segnalazione dei punti di riferimento piú significativi nell'area europea contemporanea e non; basti pensare, oltre alla pubblicazione di testi in ottima traduzione, agli interventi sulla letteratura francese del novecento, cui viene dedicato un numero doppio, sul Surrealismo, su Rivière, su Proust, Joyce, Stefan George, sulla letteratura russa. In particolare si sottolineano qui i due saggi di Debenedetti su Radiguet,[16] il giovanissimo autore francese di *Le diable au corps*, romanzo di cui Moravia era entusiasta, per sua stessa ammissione, al tempo in cui scriveva *Gli indifferenti*; e se questa è soltanto una coincidenza, vale come riferimento per una prima collocazione culturale del nostro, fatta eccezione per Manzoni e Pirandello, al di fuori della produzione italiana; ché anche le altre sue letture privilegiate e congeniali si pongono in ambito francese: i surrealisti, Max Jacob, Cocteau, e, tra i poeti, Baudelaire, Lautréamont e Rimbaud.

[14] E. Montale, *Stile e tradizione*, in « Il Baretti », 15 gennaio 1925.
[15] A. Cajumi, *La crisi del romanzo*, in « Il Baretti », 16 febbraio 1928.
[16] G. Debenedetti, *Cauto omaggio a Radiguet*, in « Il Baretti », 1 febbraio 1925 e *Vera natura dei romanzi di Radiguet*, in « Il Baretti », 16 febbraio 1925.

La conoscenza di Joyce da parte di Moravia avviene invece attraverso un'altra rivista di quegli anni, « 900 » di Bontempelli, edita nel 1926 in quaderni trimestrali redatti in francese e non a caso intitolati « Cahiers d'Italie et d'Europe », che si proponeva di raccogliere i materiali piú interessanti della narrativa europea situandoli all'interno della proposta di un'arte novecentista, completamente distaccata dalla tradizione (naturalismo, idealismo, psicologismo), capace di stare al passo coi tempi, creando, secondo la poetica bontempelliana del « realismo magico », miti moderni, durevoli nel tempo e nello spazio, dunque italiani come europei. Questo programma rivaluta di fatto la storia, l'intreccio, rilancia il romanzo, la favola, in una dimensione antistilistica che difatti prevedeva il requisito della traducibilità per l'opera d'arte del ventesimo secolo: « Ne segue » scriveva Bontempelli « il nostro atteggiamento antistilistico. Noi vorremmo l'arte di inventare una favola talmente nuova e vigorosa che possa passare attraverso mille forme e mille stili differenti pur conservando il suo vigore... ».[17] Cosí, come Ramón Gómez de la Serna, Pierre Mac Orlan, Georg Kaiser, Il'ja Erenburg, Joyce viene per la prima volta presentato alla cultura italiana sulle pagine di « 900 », in francese, nella traduzione di Valery Larbaud. Si trattava del frammento dell'*Ulisse* in cui Leopold Bloom compare per la prima volta nel romanzo; per inciso diremo che la pubblicazione del pezzo non sfuggí a Moravia (il quale tra l'altro, per l'amicizia con Corrado Alvaro, fu anche collaboratore di « 900 ») e anzi questo primo approccio lo interessò al punto da costituire la premessa immediata alla lettura di tutto il romanzo in lingua inglese.[18]

Ma intanto i tempi erano cambiati; già il tentativo di sollecitazione operato da « 900 » con il suo europeismo intellettuale, sia pure in una prospettiva rovesciata, piú innocua rispetto a quella de « Il Baretti », rimanendo in fondo sempre l'Italia e Roma il fulcro dell'arte novecentista, viene rifiutato, addomesticato dal regime; la rivista dopo il quarto cahier (estate del '27) deve smettere le pubblicazioni in francese. Negli stessi anni, che sono quelli del

[17] M. Bontempelli, *Analogies*, « 900 », estate 1927.
[18] Vedi E. Siciliano, *Moravia*, Milano, Longanesi, 1971, p. 32.

passaggio da « Il Baretti » a « Solaria » (1924-'26), il quadro politico ha subito un deciso spostamento che è anche
una stabilizzazione: Mussolini ha risolto la crisi seguita
al delitto Matteotti nell'accentuazione legalitaria del suo
ruolo, accingendosi a strutturare, con quella massiccia attività legislativa che si protrarrà fino al '28, lo stato tota-
litario e preparandosi a raccogliere intorno alla sua persona e al partito la classe industriale e il Vaticano. Così,
se il '25 segna una svolta decisiva e trionfalistica del Regime, la nascita di « Solaria » (1926) si situa nel momento
in cui, con le leggi sulla stampa e con le altre leggi ecce-
zionali, il fascismo controlla saldamente la libertà di espressione. In questa situazione la rivista, come indica il titolo, fu « una città di utopia non una scuola di pensiero »;[19] nell'isolamento in cui era relegata dalla cultura
ufficiale, la rivista di Carocci accettava la linea rondista di
un impegno esclusivamente letterario e di un certo rigore
formale, recuperando il senso di una borghese civiltà delle lettere, ma proiettava tali connotati in una empirica, di-
sponibile apertura all'Europa. Apertura che è insieme ripresa dell'eredità barettiana e anche dettato dell'interna-
zionalismo ebraico[20] di certi suoi collaboratori e di alcuni
punti di riferimento polarizzanti della ricerca di « Solaria » (Kafka, Svevo, Saba); apertura vissuta come superamento del provincialismo « selvaggio » della « sinistra »
fascista[21] e dell'autarchia pseudo-universale della cultura
vigente, che riduceva a retorica celebrazione nazionalisti-
ca qualsiasi espressione artistica e letteraria. Scriveva Fer-
rero: « La letteratura italiana ha rinunciato all'Europa; si
è cinta, nel suo stesso continente, di un largo silenzio. Deve ammetterlo chiunque, contemplando il panorama della

    [19] A. Carocci, Introduzione all'*Antologia di Solaria*, a cura di E.
Siciliano, Milano, Lerici, 1958.
    [20] Scrive Vittorini a proposito del « milieu » ebraico di « Solaria »:
« Fui così un Solariano — e Solariano era parola che negli ambienti
letterari di allora significava antifascista, europeista, universalista, anti-
tradizionalista —. Ci chiamavano anche "sporchi giudei" per l'ospitalità
che si dava a scrittori di religione ebraica e per il bene che si diceva
di Kafka e di Joyce. E ci chiamavano sciacalli, ci chiamavano iene, ci
chiamavano affossatori... » (E. Vittorini, in « Pesci rossi », 1949, n. 3,
ora in *Diario in pubblico*, Milano, Bompiani, 1957).
    [21] « Il Selvaggio », rivista politico-letteraria fondata a Colle Val d'El-
sa nel '24, passata nel '27 a Firenze sotto la direzione di Maccari, di-
viene l'organo semi-ufficiale del movimento di Strapaese, cui si oppongono
gli Stracittadini di « 900 ».

nostra letteratura, e il guazzabuglio chiassoso delle sue accademie, pensi di segnalarne un carattere solenne. L'ultima e triste polemica fra Strapaese e Stracittà ha confermato questa solitudine intellettuale ».

Mentre dunque regna la prosa d'arte, i Solariani rivalutano la tradizione del realismo manzoniano, rintracciano punti di riferimento europei tra Balzac e Dostojevskij, scoprono l'America di Melville e di Whitman, di Dos Passos e di Faulkner, additano in Pirandello il primo esempio del romanzo ritornato e fanno del richiamo a Svevo e a Tozzi una costante del loro discorso. A questa generosa azione di punta per una letteratura intesa come aggancio reale alla vita europea ed extraeuropea non corrispose all'epoca un'adeguata diffusione e incidenza presso il pubblico. Ma una riprova dell'opportunità storica della rivista e del suo ruolo nella letteratura italiana tra le due guerre si trova nell'apporto delle nuove leve di scrittori che, a partire da Vittorini, scoprono una nuova dimensione della narrativa e rilanciano quel romanzo che, anche come portatore di un'ideologia, avrà largo spazio nel decennio successivo.

A questa stessa linea culturale di respiro europeo, di rottura con la retorica, di superamento del regionalismo deteriore, di disgusto per la squallida situazione sociale e politica, va ricondotto anche il primo romanzo di Moravia, che pure nasce, come si sa, da un'esperienza isolata e precoce. Questa opera prima resta tuttavia un punto di riferimento, una svolta nel difficile e sostanzialmente povero itinerario del romanzo italiano tra gli anni '20 e '30. Non per nulla Debenedetti scriveva che, ad adottare il criterio che stabilisce la divisione delle epoche letterarie in base ad un grande evento, poetico o narrativo, l'epoca del romanzo moderno e contemporaneo andrebbe datata con la scoperta di Svevo e *Gli indifferenti* di Moravia.

LA VITA

Alberto Moravia nasce a Roma il 28 novembre 1907 nel villino della famiglia Pincherle (è questo il vero nome dello scrittore) in via Sgambati, davanti a Villa Borghese.

La sua esistenza tranquilla, da « bambino qualsiasi »,[22] in un ambiente familiare appartenente alla agiata borghesia (il padre Carlo Pincherle era architetto e costruttore), in compagnia delle sorelle Adriana e Elena e, piú tardi, del fratello Gastone, viene interrotta dalla malattia, una tubercolosi ossea secca, comparsa nel 1916 e protrattasi per piú di nove anni, lasciandolo lievemente claudicante.

Di questa malattia, « inizio di una grande infelicità, anche familiare », e dei suoi successivi sviluppi, Moravia stesso dice:

« Ero un bambino ipersensibile, e lo sarei rimasto probabilmente. La malattia ha fatto sí che questa sensibilità fosse in qualche modo dominata, si risolvesse a una riflessione. Stavo sempre solo e a letto, in uno stato di continuo dolore ».[23]

Cosí la malattia incide profondamente nell'itinerario biografico e culturale di Moravia: causa determinante dell'irregolarità e in seguito dell'abbandono degli studi (al liceo Tasso di Roma), è anche ragione immediata di una ricerca quasi ossessiva di letture. Le sue preferenze vanno ai romanzi di Dostojevskij[24] (*Delitto e castigo*, *L'Idiota*), alla poesia di Baudelaire, Mallarmé, Lautréamont, Apollinaire, Leopardi, Eliot, ma soprattutto di Rimbaud, a lui congeniale per il senso di rivolta, di distruzione e di rifiuto della realtà circostante. E ancora il giovane Moravia predilige il teatro (da quello classico di Shakespeare, Goldoni, Molière fino a Pirandello)[25] come rappresentazione drammatica di avvenimenti e fors'anche come surrogato culturale di una vita ridotta all'immobilità, all'impotenza. Si entusiasmava per *Le diable au corps* di Radi-

---

[22] E. Siciliano, *op. cit.*, p. 23.

[23] E. Siciliano, *op. cit.*, p. 24.

[24] « La molla che agisce in me » dice Moravia « è quella che vedo agire in Dostojevskij: è la rivolta, è il gusto della distruzione. Non che mi voglia paragonare a Dostojevskij: ma leggendo i suoi libri il mio desiderio di scrivere ha preso forma, leggendo lui provavo una consonanza profonda, inquietante » (E. Siciliano, *op. cit.*, pp. 83-84).

[25] « Quando scrivevo *Gli indifferenti* » prosegue Moravia « avevo un'idea del tragico che ricavavo dalla lettura di un po' di teatro pirandelliano. In *Il fu Mattia Pascal*, nei *Sei personaggi*, in *Cosí è (se vi pare)* trovavo un'eco del mio stesso sentimento di rivolta » (E. Siciliano, *op. cit.*, pp. 84-85).

guet, rifiutava in blocco D'Annunzio, prendeva a modello
Manzoni per quanto riguardava la scrittura del romanzo.

Insomma la malattia come sofferenza fisica, come for-
zata immobilità, si intreccia e si complica con un male
di vivere di natura psicologica, nato dal contrasto insanabile tra una volontà di forme dirette, immediate di vita e
l'impossibilità a realizzarle, contrasto che si « risolve »,
in termini culturali, con un'adesione profonda, viscerale
alla letteratura decadente europea:

> « Leggendo tutto, come leggevo, assorbii la cultura
> europea, la vissi da malato, con la violenza di uno
> che a letto non vorrebbe stare, ma vorrebbe fisica-
> mente identificarsi con quello che legge. Questa im-
> possibilità era la forma per cui la cultura decadente
> andava a coincidere con la mia persona. Era come
> se io capissi attraverso la mia malattia tutta l'im-
> possibilità di fondo, l'impossibilità alla vita che la
> cultura europea esprimeva. Il senso di "cupio dis-
> solvi" era diffuso a ogni livello in maniera allarman-
> te. Era una cosa di cui soffrivo anch'io acutamente,
> condannato com'ero all'immobilità. E bastava che mi
> guardassi attorno, nello stesso sanatorio, per scopri-
> re che l'idea di morte, e il disfacimento, erano in-
> torno a me ».[26]

Il sanatorio è il « Codivilla » di Cortina d'Ampezzo,
dove Moravia rimane dal maggio del '24 fino al settembre
del '25; là, dopo sette mesi passati a Roma tra la vita e la
morte per una cura sbagliata, la gamba malata migliora,
cessano i dolori « atroci ».

Lasciato il sanatorio, Moravia si trasferisce quindi per
la convalescenza a Bressanone, in provincia di Bolzano,
dove comincia a scrivere *Gli indifferenti*. È l'autunno del
'25; lentamente, appuntando ogni mattina, a letto, un particolare o una frase, per tre anni, fino al '28, Moravia
lavora al suo romanzo, a rappresentare in forma narrativa,
conservando al tempo stesso alla materia oggetto del testo
tutti i connotati di un dramma teatrale, quel disagio del
mondo borghese italiano e più in generale quella malattia
dei tempi, che il giovane scrittore aveva probabilmente av-

[26] E. Siciliano, *op. cit.*, pp. 27-28.

vertito a livello istintivo, inconscio, e che ormai permeava il contesto politico e culturale. L'uscita del romanzo, pubblicato nel luglio del '29 dalla Casa Editrice Alpes di Milano (con un contributo spese di cinquemila lire dello stesso Moravia) costituisce, appunto per l'assoluta mancanza della retorica e dell'ottimismo di cui il fascismo si nutriva, un momento di rottura, di novità e dà inizio al conflitto insanabile dello scrittore con il regime.

Intanto fin dalla nascita di « '900 » (« Cahiers d'Italie et d'Europe »), il giovane Moravia, tramite l'amico Corrado Alvaro, segretario della redazione romana, si era avvicinato al gruppo dei novecentisti e proprio sulla rivista di Bontempelli aveva fatto nel 1927 il suo esordio di scrittore, pubblicando in francese il racconto *La cortigiana stanca* e, successivamente, *Delitto al circolo del tennis*. Nel 1928 aveva collaborato alla rivista romana diretta da Luigi Diemoz e Libero De Libero, « Interplanetario », con quattro racconti: *Cinque sogni*, un brano nato per *Gli indifferenti* e non inserito nella stesura definitiva del romanzo, *Assunzione in cielo di Maria Vergine*, *Albergo di terz'ordine*, *Villa Mercedes*. Nel febbraio 1928 era uscito su « I Lupi », la rivistina romana diretta da Gian Gaspare Napolitano e Aldo Bizzarri, *Il dialogo tra Amleto e il principe di Danimarca*. Nell'anno successivo alla pubblicazione del primo romanzo appare su « Pegaso » di Ojetti e Pancrazi il racconto lungo *Inverno di malato*.

Aggravatasi la situazione politica, Moravia realizza la sua evasione dal clima oppressivo del fascismo iniziando la sua attività di giornalista con una serie di viaggi all'estero, prima a Londra, come inviato della « Stampa », poi a Parigi. Dall'ottobre del '34 al '35 (anno del suo secondo romanzo *Le ambizioni sbagliate*, censurato dal regime (e della serie di racconti *La bella vita*) lo scrittore è a New York, chiamato da Prezzolini alla Columbia University; in seguito soggiorna tra l'altro in Cina e in Grecia.

Intanto continua intensa la sua attività narrativa: nel '37 pubblica *L'imbroglio*, romanzo cui aveva lavorato l'anno precedente a Positano, dove si era temporaneamente stabilito; nel '40 dà alle stampe i racconti surrealistici e satirici de *I sogni del pigro*; l'anno successivo *La mascherata*, romanzo grottesco di intonazione politica antifascista, sequestrato alla seconda edizione. Sempre nel '41 sposa la scrittrice Elsa Morante che aveva conosciuta nel '36 tramite il pittore Capogrossi.

Già prima del matrimonio, per motivi razziali (Moravia è ebreo per parte di padre), aveva cominciato a firmare i suoi articoli con lo pseudonimo di « Pseudo ». Successivamente, segnalato come sovversivo nelle liste della polizia fascista, va incontro ad un periodo difficile fatto di fughe e di latitanza. Col precipitare della situazione, dopo l'8 settembre '43, per sfuggire all'arresto, Moravia e la Morante sono costretti a fuggire verso Napoli, muovendo incontro agli Alleati, ma, poiché le vie verso il sud sono bloccate dai tedeschi o distrutte, si rifugiano nella zona di Fondi, quella stessa che sarà poi descritta ne *La Ciociara*.[27]

Intanto a Roma, durante i nove mesi dell'occupazione nazista, viene pubblicato *Agostino* (1944), uno dei romanzi piú riusciti di Moravia. Ambientato in Versilia, in un'estate che segna l'iniziazione alla vita del tredicenne protagonista, riscuote un grande successo, vincendo l'anno dopo il premio del Corriere Lombardo (che è anche il primo premio assegnato nel dopoguerra).

In questo periodo l'attività di Moravia continua intensa sia con collaborazioni a quotidiani e periodici, dal « Mondo » al « Corriere della Sera », a « L'Europeo », sia con la produzione narrativa, che conta titoli come *La Romana* (1947), *La disubbidienza* (1948), *L'amore coniugale e altri racconti* (1949). Con *Il conformista* (1951) Moravia si pone di fronte al fenomeno fascista osservandolo — come dirà lui stesso — dentro la coscienza di un borghese. Nel '52 *I racconti* vincono il Premio Strega, due anni piú tardi ai *Racconti romani* viene assegnato il Premio Marzotto. Nel 1954 pubblica *Il Disprezzo*, romanzo della serie « coniugale » e piú tardi (1957) *La Ciociara*. Intanto aveva fondato con Carocci la rivista « Nuovi Argomenti » (1953), alla cui direzione si unirà in un secondo tempo Pier Paolo Pasolini.

Gli anni '60 sono anni di crisi per lo scrittore, segnati, nella vita privata, dalla separazione da Elsa Morante

[27] Vedi G. Manacorda, *Incontro con Moravia clandestino*, in « Il Contemporaneo », 18 maggio 1957; ora in *Vent'anni di pazienza*, Firenze, La Nuova Italia, 1972, pp. 393-396.

e dall'incontro con Dacia Maraini, e, nell'ambito culturale, dalla polemica con la neoavanguardia. Sono ancora gli anni di numerosi viaggi all'estero (Russia, Cina, Spagna, India), da cui nascono corrispondenze giornalistiche che evidenziano un'eccezionale chiarezza e un'intelligenza penetrante e tesa alla schematizzazione. Nel '60 esce il romanzo *La noia*, una « replica » del tema iniziale dell'« indifferenza », privato ormai dell'originaria aggressiva acredine.

Dopo *La noia*, acuitasi la polemica con le neoavanguardie, in seguito agli attacchi mossigli dal Gruppo 63, Moravia pubblica nel '65 *L'attenzione*, un discusso esperimento di « romanzo nel romanzo » e nel '67 *Una cosa è una cosa*, raccolta dei racconti pubblicati sul « Corriere della Sera » nel corso dei quattro anni precedenti, alcuni dei quali molto significativi della posizione di Moravia negli anni sessanta, evidenziata anche nel titolo: « Una cosa è una cosa » e non serve sovrapporle un significato, un giudizio, un fine o una comprensione che le sono estranei, in quanto il reale è per sua intrinseca natura assurdo e incomprensibile. Questa fase dell'itinerario di Moravia scrittore è contraddistinta da una certa sfiducia verso la forma narrativa, dal riordino dei suoi saggi, raccolti ne *L'uomo come fine* (1964) e da un interesse per il teatro, a cui lo scrittore si dedica attivamente dopo il 1965, sia come saggista, formulando il concetto di un nuovo teatro, tutto basato sulla dimensione privilegiata della parola come luogo del dramma (*La chiacchiera a teatro*, « Nuovi Argomenti », gennaio-marzo 1967) sia come autore di testi, che a questa idea si conformano: *Il mondo è quello che è* (1966), *Il dio Kurt* (1968), *La vita è gioco* (1969). Al teatro si dedica anche come operatore culturale, fondando nella stagione 1966-'67 insieme a Dacia Maraini e ad Enzo Siciliano la Compagnia del Porcospino con sede a Roma in via Belsiana, che debutta nel 1966 con *L'intervista* dello stesso Moravia. Per quanto riguarda il cinema lo scrittore, che per tanti anni si dedica all'impegno settimanale di recensore di film sull'« Espresso », nel 1975 pubblica in volume (*Al cinema*) un centinaio di suoi articoli su opere cinematografiche di autori diversi uscite tra il 1965 e i primi anni settanta, articoli scelti in modo da dare il senso dell'evoluzione filmica di quel decennio.

Nei successivi anni settanta le tappe del Moravia romanziere sono scandite dalla pubblicazione di *Io e lui*, « Libro dell'anno 1971 », rappresentazione grottesca del rapporto tra un uomo ed il proprio sesso, e da *La vita interiore* (1978). Gli anni ottanta si aprono con *1934* (1982), cui fanno seguito *L'uomo che guarda* (1985), centrato sull'incubo della bomba atomica, e *Il viaggio a Roma* (1988). Nella produzione narrativa dello stesso periodo si situano le raccolte di racconti apparsi sul « Corriere della Sera », *Il paradiso* (1970), *Un'altra vita* (1973), *Boh* (1976), che presentano un'omogeneità di taglio, dovuta alla dimensione piccola dell'elzeviro, e di punto di vista, rappresentato dall'ottica femminile, avendo tutti questi racconti come protagoniste, delle donne che parlano in prima persona. Nel decennio successivo le raccolte di racconti di Moravia sono: *Storie della preistoria* (1982), *La cosa* (1983), *La villa del venerdí* (1990).

Per la saggistica, a cura di Renzo Paris appare, nel 1980, una scelta di articoli, interviste, saggi, *Impegno controvoglia*, e, nel 1986, *L'inverno nucleare*, una raccolta di interventi sulla bomba atomica e sul degrado terrestre dovuto all'inquinamento progressivo, temi questi a cui lo scrittore aveva dedicato molta attenzione negli anni precedenti. Nel 1982 l'editore Rusconi pubblica le *Lettere Prezzolini-Moravia*.

Gli anni settanta e ottanta sono anche contraddistinti dai resoconti dei viaggi in Africa, che Moravia compie sempre piú spesso insieme all'operatore cinematografico Anderman, « per svago e desiderio di straniamento », alla ricerca di una nuova civiltà. In *A quale tribú appartieni?* (1972), il primo dei suoi libri africani, lo scrittore spiega la sua « felice e invaghita disponibilità » nei confronti dell'Africa e l'intenzione che informa la sua raccolta di « impressioni », non di investigazioni o inchieste, destinate ai lettori: « Il fine che il libro, modestamente, si propone non è di informare né di istruire né tantomeno di giudicare, ma di ispirare al lettore lo stesso interesse e la stessa simpatia che mi hanno spinto a viaggiare per il continente nero ».

La struttura epistolare, che caratterizza il secondo volume di corrispondenze dall'Africa, *Lettere dal Sahara* (1981), è una scelta fatta forse con l'intento di avvicinare il lettore alla scoperta di una realtà diversa e per molti versi intatta, alla ricerca di una creatività nuova che l'uomo occidentale ha ormai irrimediabilmente perso.

Passeggiate africane (1987) è un libro di appunti, di note prese attraversando il Gabon, lo Zaire, sorvolando la Tanzania. Lo scrittore, curioso delle bellezze naturali, fissa squarci di paesaggi incontaminati, ricrea sulla pagina la sensazione delle piogge torrenziali con la potenza della natura e l'inermità della vita dell'uomo e degli animali, il significato profondo di un tifone, la scoperta della foresta, immagine « simile a un gonfio e spesso manto di pelliccia, [che] riveste la terra, arrotondandone i rilievi, riempiendone la cavità ».

Nel 1984 Moravia è eletto deputato al Parlamento europeo come indipendente nelle liste del PCI e inizia a pubblicare sul « Corsera » delle corrispondenze da Strasburgo sotto il titolo *Diario europeo*.

Il 27 gennaio 1986 lo scrittore sposa a Roma con rito civile la trentunenne Carmen Llera, impiegata presso la casa editrice Bompiani, che aveva conosciuto due anni prima in occasione di un'intervista.

Nel 1986 esce la raccolta di alcuni atti unici scritti nei due anni precedenti col titolo *L'angelo dell'informazione e altri scritti teatrali*. Nello stesso anno Bompiani pubblica nella collana appena varata dei « Classici », a cura di Geno Pampaloni, le *Opere* (1927-47). Un secondo volume della stessa collana, *Opere* (1948-68), appare tre anni piú tardi e propone, oltre ai romanzi *La disubbidienza*, *L'amore coniugale*, *La noia*, *L'automa*, *L'attenzione*, una scelta di racconti, un testo teatrale ed alcune pagine saggistiche, secondo una selezione operata da Enzo Siciliano, cui si deve la cura del volume ed il saggio introduttivo.

Nel 1990, oltre al già citato volume di racconti, *La villa del venerdí*, appare infine in libreria, dopo cinque anni di preparazione, tra colloqui ininterrotti e varie riscritture, la *Vita di Moravia*, un'autobiografia « sollecitata » dalle domande di Alain Elkann, in un'intervista che si snoda per quasi trecento pagine, facendo rivivere per intero, ma attraverso squarci e puntualizzazioni, la vicenda di Moravia uomo e scrittore.

Secondo i piani dell'editore Bompiani il libro doveva essere presentato alla Fiera di Francoforte ai primi di ottobre; l'uscita viene anticipata in seguito alla scomparsa dello scrittore. Per una beffa del destino per poche ore Moravia non fa in tempo a vedere la prima copia del volume già pronta: il 26 settembre 1990 infatti muore improvvisamente nella sua casa romana di Lungotevere Della Vittoria, divenuta due anni più tardi, per volontà delle eredi, Carmen Llera e Dacia Maraini, sede della Fondazione Alberto Moravia.

Un romanzo a cui stava ancora lavorando al momento della morte, *La donna leopardo*, viene pubblicato postumo nel 1991.

Nel 1993 esce postumo *Diario europeo*.

II

GLI INDIFFERENTI

LA VICENDA E LE SUE STRUTTURE NARRATIVE

Parlando de *Gli indifferenti* Moravia ha piú volte affermato che alla base del suo progetto c'era la volontà di recuperare in sede narrativa « la compattezza della tragedia » ponendo al centro dell'opera un nodo drammatico che ne occupasse l'orizzonte nella sua totalità:

« Volevo scrivere un lungo racconto che avesse una struttura teatrale con *unità di tempo, di luogo* e con *pochissimi personaggi.* La mia ambizione era di scrivere una tragedia, invece ne venne fuori un romanzo ».[1]

E altrove:

« Se avevo un'idea di cui andavo in cerca al tempo de *Gli indifferenti* era un'idea o una fissazione stilistica: fare uso della tecnica teatrale nel romanzo ».[2]

In effetti la lettura conferma questa componente strutturale di tipo teatrale già nel taglio dei capitoli, che ricalca quello di una scena da commedia, coincidendo esattamente l'inizio e la fine di ciascuno di essi con l'ingresso e l'uscita dei personaggi. Cosí la rappresentazione è in atto fin dal primo periodo:

[1] A. Moravia, *Gli Italiani non sono cambiati,* in « L'Espresso », 2 agosto 1959 (corsivi miei).
[2] E. Siciliano, *op. cit.*, p. 39.

« Entrò Carla; aveva indossato un vestitino di lanetta marrone con la gonna cosí corta, che bastò
quel movimento di chiudere l'uscio per fargliela sa-
lire di un buon palmo sopra le pieghe lente che
le facevano le calze intorno alle gambe; ma ella
non se ne accorse e si avanzò con precauzione guar-
dando misteriosamente davanti a sé, dinoccolata e
malsicura; una sola lampada era accesa e illumi-
nava le ginocchia di Leo seduto sul divano; un'o-
scurità grigia avvolgeva il resto del salotto ».[3]

Il primo capitolo si apre dunque sull'entrata in scena
di Carla cui segue una descrizione che assomiglia molto
a una didascalia di testo teatrale (solo il tempo è storico invece che presente); qui l'attenzione dell'autore si sposta dal costume e dall'atteggiamento del primo personaggio alle luci, che, secondo un procedimento tipico della
regia, illuminano direttamente una zona circolare metten-
dola a fuoco e lasciando tutto il resto nell'oscurità. Il
meccanismo luce-ombra, che a teatro è giocato tra il pal-
coscenico o una sua parte e la sala, con la creazione di
quella « scatola ottica » che isola di volta in volta la scena o un angolo di essa infondendole vita e movimento, è
riprodotto sistematicamente da Moravia negli « interni »
del romanzo, che si presentano sempre divisi in due zone, una illuminata, l'altra in ombra, con una insistenza
significativa sull'assenza di vita, di solidità, di consistenza
degli oggetti posti nell'oscurità:

« Carla [...] in piedi presso il tavolino della lampada, cogli occhi rivolti verso quel *cerchio* di *luce* del
paralume nel quale i gingilli e gli altri oggetti, a differenza dei loro compagni *morti e inconsistenti spar-
si nell'ombra* del salotto, rivelavano tutti i loro colori
e la loro solidità [...] (p. 5).

Ora, messo a punto lo scenario, abbastanza convenzionale, di un salotto « borghese » e pretenzioso, resa pal-
pabile l'aria grigia, quasi stanca, ivi regnante, Carla e
Leo prendono a recitare immediatamente la loro parte.

[3] A. Moravia, *Gli indifferenti*, Milano, Bompiani, 1974, p. 5. (Rife-
rimenti a citazioni successive saranno incorporati nel testo. Gli eventuali
corsivi nelle citazioni sono dell'Autrice del presente volume).

Tralasciata infatti una quantità di dettagli che i naturalisti avrebbero assommato con cura per una razionale e
plausibile costruzione anagrafica del personaggio, Moravia ci dà, dei due, semplicemente quei connotati che hanno stretta attinenza con l'intreccio: di Leo ci fa capire
che è l'amante di Mariagrazia, madre della ragazza, di
Carla dice solo che è bella, ma del suo aspetto fisico, indubbiamente giovane e procace, germe e molla della « tragedia », mette in evidenza soprattutto una certa disarmo-
nia di proporzioni. Cosí all'uomo che, seduto sul divano,
la osserva avidamente, appaiono

> « [...] gambe dai polpacci storti, ventre piatto, una
> piccola valle di ombra fra i grossi seni, braccia e
> spalle fragili, e *quella testa rotonda cosí pesante* sul
> *collo sottile* » (p. 6).

Questo motivo del contrasto tra la testa troppo grande
e « le spalle esigue », insieme con « il petto troppo basso
e le gambe un po' storte dal ginocchio in giú », ritorna poi
nel testo con tale insistenza da poterlo in un certo senso
assumere come la prima spia di un'inquietudine del personaggio, della sua prossima deviazione dalla norma. A
tale proposito diceva bene Debenedetti che « la carne, a
preferenza di tutti gli altri elementi che compongono una
personalità, è il materiale di fabbricazione di cui Moravia
si serve per far concorrenza allo stato civile » e che pertanto ogni sua figura « nasce, o almeno si presenta, sotto
un prevalente aspetto di fisicità ».[4] Tale diagnosi riferita
dal critico ai racconti de *L'imbroglio* si attaglia anche a
Gli indifferenti, insieme con quella acuta notazione sulla
narrativa moraviana che fa scaturire l'intreccio, l'azione,
le iniziative dei personaggi da una serie di crisi degli stessi.[5] Qui dunque, fedele alla sua tattica, che è quella di
condensare l'imbroglio scommettendo sull'unità di tempo
e di luogo, Moravia immette il lettore al centro del nodo
drammatico fin dalle prime battute, solo apparentemente
casuali, ché il dialogo tra Carla e Leo non è colto in un
pomeriggio qualsiasi nel salotto di casa Ardengo, ma è a

---

[4] G. Debenedetti, « *L'imbroglio* » *di Moravia*, in *Saggi critici*, II
serie, Milano, Il Saggiatore, 1971, pp. 221-222.
[5] G. Debenedetti, *op. cit.*, p. 218.

suo modo il luogo di incontro o di scontro di due crisi di
stanchezza e di noia; due crisi, diverse per natura e qualità (quella di Carla, non piú disposta a sopportare la
stessa vita opprimente e gretta, segnata dalla presenza di
Leo e della madre, che di Leo è ossessivamente gelosa,
quella dell'uomo, stanco della relazione piú che decenna-
le con Mariagrazia, dell'ansia possessiva, della bellezza ormai sfiorita di lei), che avrebbero anche potuto continua-
re a convivere parallele senza che nulla accadesse, o tantomeno senza arrivare a coincidere l'una nell'altra, dando
luogo alla tragedia.

La prima scena, pur ambientata come si è detto nello
squallido grigiore del quotidiano, fissa un fatto eccezionale,
il tentativo di seduzione della ragazza da parte del ma-
turo amante della madre, dopo anni e anni fatti di giorni
tutti uguali, di stesse abitudini e presenze, di azioni e
reazioni ripetute quasi automaticamente. Infatti, mentre
con tranquilla impudenza manifesta i suoi desideri (« Sai
che hai delle belle gambe, Carla »), Leo cerca di approfittare proprio della noia della ragazza, incoraggiandola nel
suo desiderio di cambiamento (« Sai cosa si fa quando non
se ne può piú? Si cambia ») e sfruttandolo naturalmente
a proprio vantaggio (« "Cambia" gli ripeté "vieni a stare
con me" »). E la ragazza comincia a vedere nelle profferte
di Leo l'unica possibilità di sottrarsi al pesante disgusto,
all'esasperazione che l'opprime. Si rilegga questa riflessione di Carla (che è anche il primo discorso indiretto libero presente nel testo) in cui tale pensiero comincia a farsi strada:

> « [...] ma le pareva di *recitare una parte falsa e ri-
> dicola*; cosí, era quello l'uomo a cui questo pendio
> di esasperazione l'andava insensibilmente portando?
> Lo guardò: né meglio né peggio degli altri, anzi me-
> glio senza alcun dubbio, ma con in piú una certa
> sua *fatalità* che aveva aspettato dieci anni che ella
> si sviluppasse e maturasse per insidiarla ora, in quel-
> la sera, in quel salotto oscuro » (p. 7).

E si veda poi come l'accenno a una fatalità in qualche modo connessa con l'idea dell'abbandono a Leo si
definisca meglio e si complichi in un « gusto fatalistico di
simmetrie morali »:

« Ella fece di nuovo il vano gesto di respingerlo, ma ancor piú fiaccamente di prima, ché ora la vinceva una specie di volontà rassegnata; perché rifiutare Leo? Questa virtú l'avrebbe rigettata in braccio alla noia e al meschino disgusto delle abitudini; e le pareva inoltre, per *un gusto fatalistico di simmetrie morali*, che questa avventura quasi familiare fosse il solo epilogo che la sua vecchia vita meritasse; dopo, tutto sarebbe stato nuovo; la vita e lei stessa; guardava quella faccia dell'uomo, là, tesa verso la sua: "Finirla", pensava "rovinare tutto..." » (p. 8).

Carla sta dunque per cedere, ma l'arrivo di Mariagrazia interrompe le effusioni tra i due. La sospensione e il mutare dell'azione per l'inserimento di un terzo personaggio sono tipici della tecnica teatrale; tra l'altro l'entrata in scena della madre è preannunciata dal tintinnio della porta che si apre con un abile calcolo dei tempi che consente al Merumeci di riprendersi, di cambiare atteggiamento, assumendo un'aria indifferente e rivolgendosi addirittura a Carla in tono colloquiale e paterno. L'autore registra attentamente questa metamorfosi di Leo da uno stato di appassionata esaltazione a una composta tranquillità:

« [...] subito, egli si rovesciò sullo schienale del divano, accavalciò le gambe e guardò la fanciulla con *indifferenza*; anzi spinse la *finzione* fino al punto di dire col tono importante di chi conclude un discorso incominciato: "Credimi Carla, non c'è altro da fare" » (p. 9)

e non può esimersi dal definire tale sequenza di gesti come « sorprendente »; laddove il giudizio sul repentino mutamento del Merumeci (che è già un segno di una perfetta padronanza di sé, di una perentoria abilità, oscillante dal cinismo all'ipocrisia, a manovrare ogni situazione), si scopre nell'uso della parola « finzione », e ancor prima del termine « indifferenza » che, riferito a Leo, riprende immediatamente nel testo l'accezione abituale di « impassibilità », risultando del tutto alieno da quell'alone di sintomi cui rimanda la parola tematica, nel titolo e in altre innumerevoli occasioni, riguardo a Michele e a Carla.

A questo punto l'ingresso del terzo personaggio è av-

28   GLI INDIFFERENTI

venuto; individuata la sua identità (« Era la madre... »),
messa a fuoco la mutata posizione degli altri due presenti in scena, Moravia descrive infine Mariagrazia che si av-
vicina con passo malsicuro, abbondantemente incipriata
e dipinta; l'ombra del salotto non scopre i dettagli del suo
volto, lascia percepire solo l'insieme immobile e indeciso
dei tratti, in cui risaltano, per contrapposizione, estranei e
finti; i colori vivaci del trucco. Si noti che tale segmento
narrativo ha al solito i caratteri della didascalia, in cui l'autore ci ragguaglia sui connotati-tipo del personaggio, quelli
che fissano la sua identità, quelli che devono essere di
volta in volta assunti dall'attore per entrare nella parte.
E per entrare nella parte di Mariagrazia è indispensabile
assumere una maschera stupida e patetica, un'espressione
di teatrale dignità; se più in là il testo rivela altri particol-
 lari:

> « [...] due file di denti d'una bianchezza un po' dub-
> bia; tutto il corpo disfatto [...] » (p. 23)

l'allusione alla maschera risulta, fin dalla prima apparizione, fondamentale, per farsi via via insistente, sistematica, quasi ossessiva:

> « [...] pareva una maschera stupida e patetica » (p.
> 9); « [...] e faceva di quella faccia molle e dipinta
> una maschera pietrificata in un'espressione di pate-
> tico smarrimento » (p. 41).

Dove questa maschera patetica, questo volto impia-
strato di falsa dignità, di esteriore sussiego, è molto più
di un tratto somatico, è il canalizzarsi della falsità di cui
è intriso quel « saper vivere », quel buon senso borghese
che hanno in Mariagrazia il portavoce più tipico:

> « "Come si fa?", disse la madre; "non si può mica
> dir sempre la verità in faccia alla gente... le conve-
> nienze sociali obbligano spesso a fare tutto l'oppo-
> sto di quel che si vorrebbe... se no chi sa dove si
> andrebbe a finire..." » (p. 69).

E come, per quanto riguarda l'aspetto fisico, il testo
rimanda fin dal primo apparire del personaggio all'immagine fondamentale della maschera, altrettanto immediata è

la rivelazione del carattere di Mariagrazia; ella appare subito quella che è, vanitosa, ansiosa di vita mondana:

« " [...] domani ci sarebbe quel tè danzante pro infanzia abbandonata...; dopodomani il ballo mascherato al Grand Hôtel...; negli altri giorni siamo invitate un po' qua un po' là..." » (p. 11).

È inconcepibile per lei andare a vedere Pirandello in serata popolare:

« "Non mi sarebbe dispiaciuto di andare a vedere *Sei personaggi* della compagnia di Pirandello...: ma francamente come si fa?... è una serata popolare" » (p. 10).

Pettegola: i suoi racconti sulla signora Ricci:

« "... è invecchiata a un tal punto...; [...] ha due rughe profonde che le partono dagli occhi e le arrivano alla bocca..., [...] un orrore!..." » (p. 11)

si venano di un'invidia

« "mi ha detto che hanno venduto la vecchia automobile e ne hanno comprata una nuova... una Fiat..." » (p. 11)

mascherata dietro un perbenismo tutto esteriore a cui è ipocritamente ligia

« " [...] una svergognata, e neppure bella, un mucchio d'ossa, che sfrutta senza scrupoli l'amico e si fa pagare le automobili ed i vestiti e trova anche modo di mandare avanti quel suo marito non si sa se piú imbecille o piú furbo..." » (p. 12).

Ancora i suoi « piccanti » ragguagli sul viaggio di nozze dei Santandrea:

« " [...] lo sai [...] nello stesso vagone-letto v'erano lo sposo, la sposa e l'amico della sposa..." » (p. 129)

che nel loro insieme mostrano al lettore la generalità del malcostume vigente nella società-bene del tempo (che il regime presentava in versione ottimistica e integerrima), facendo dunque degli Ardengo non un'eccezione, un caso, ma un campione rappresentativo, sono occasione per Mariagrazia di un ennesimo, dignitoso, incredulo, moralistico giudizio sulla corruzione altrui.

Ipocrita, si rifugia dietro una facciata di convenzionale e generico moralismo, ad esempio quando rimprovera il figlio che vorrebbe raccontare, con trasparente allusione, una storiella riguardante una signora matura che aveva un amante:

> « "E poi Michele" disse la madre con dignità "non mi piace che tu parli cosí liberamente di queste cose davanti a Carla..." » (p. 84).

Ed è ancora Michele che smaschera con un sorriso « di disgustata pietà » l'ipocrisia della donna, cogliendo, nella disputa di gelosia tra la madre e Leo, un rapido passaggio dal « tu » al « lei » all'atto del suo entrare in scena.

Anche a proposito del ragazzo Ardengo, va detto che Moravia mette subito le carte in tavola: Michele è l'indifferente per eccellenza, è l'eroe eponimo fin dal primissimo scambio di battute con la sorella, quando, di ritorno dall'amministratore del Merumeci, la informa della loro rovina economica:

> « "Vorrebbe dire" spiegò Michele "che dovremo cedere la villa a Leo, in pagamento di quell'ipoteca, e andarcene, senza un soldo, andarcene altrove".
> Si guardarono; un sorriso forzato squallido passò sulla faccia del ragazzo: "Perché sorridi?" ella domandò. "Ti par cosa da sorridere?".
> "Perché sorrido?" egli ripeté. "Perché tutto questo *mi è indifferente*... e anzi quasi mi fa piacere" » (p. 13).

E l'indifferenza si conferma appena piú tardi come stato d'animo diffuso e dominante del ragazzo, che, di fronte ai gioviali convenevoli di Leo,

> « si sforzava di parer freddo e vibrante benché non si sentisse che indifferente » (p. 14),

cosí come il condizionale si rivela il tempo precipuo di Michele, il tempo dei progetti, delle intenzioni mai realizzate:

« ... avrebbe voluto soggiungere: "E meno ci vediamo meglio è" o qualcosa di simile, ma non ne ebbe la prontezza né la sincerità » (p. 14).

Ancora il confronto col Merumeci, che è motivo di fondo di tutto il libro, mette a nudo qui la vanità di Michele, l'amore per l'eleganza, per i bei gesti, per la « lucida estetica dei figurini inglesi » di cui subito approfitta Leo, deridendo sottilmente il ragazzo con un complimento azzeccato sul suo vestito turchino. Ma debolezza e chiaroveggenza procedono quasi di pari passo nel personaggio del giovane Ardengo:

« [...] vanità e indifferenza, nel giro di pochi minuti Leo aveva saputo farlo cadere in ambedue queste meschine voragini » (p. 15).

Cosí l'immagine del burattino si insinua a scandire la dimostrazione di questa sua debolezza, mentre si vede, riflesso nello specchio appeso alla parete di faccia, nell'atto di mostrare a Leo il suo abito dal « taglio perfetto »:

« [...] gli parve che il suo atteggiamento fosse pieno d'una ridicola e fissa stupidità simile a quella dei *fantocci* ben vestiti esposti col cartello del prezzo sul petto, nelle vetrine dei negozi; una leggera inquietudine serpeggiò nei suoi pensieri » (p. 14).

Lo stesso paragone ritorna nel terzo capitolo, dopo le scuse fatte all'amante della madre per averlo ingiuriato: Michele

« girò su se stesso come *una marionetta* » (pp. 35-36).

Piú avanti l'idea del fantoccio si riaffaccia alla mente di Michele nell'osservare la madre, la sorella e Leo durante il tragitto in automobile verso l'hotel Ritz:

« [...] essi erano là, nell'ombra, immobili, ogni scossa dell'automobile li faceva urtare tra di loro come *fantocci inerti*: nulla gli pareva piú angoscioso che vederli cosí lontani, staccati, soli senza rimedio » (p. 128).

Dunque il motivo della maschera, del fantoccio, del travestimento (come segno di una eventuale sostituzione

delle varie identità, non impossibile e non determinante
in tale contesto:

> « Ogni volta che Michele li vedeva, stupiva di stare
> insieme con loro: "perché sono questi" pensava, "e
> non altri?". Quelle figure gli erano piú che mai stra-
> niere, quasi non le riconosceva, gli sembrava che una
> bionda dagli occhi azzurri al posto di Carla, una si-
> gnora magra ed alta al posto della madre, un pic-
> colo uomo nervoso al posto di Leo *non avrebbero
> trasformato la sua vita* » - p. 128)

oltre che invenzione figurativa di chiara impronta teatrale, rimanda con insistenza ad un filo conduttore allegori-
co, che clamorosamente evidenzia la falsità, l'inconsisten-
za dell'ambiente e dei personaggi in quanto tali; vittime
gli uni (Mariagrazia, Leo, Lisa) di una norma piccolo borghese fatta di ipocrisie, compromessi, ambizioni sbagliate, gli altri (Carla e soprattutto Michele) del contrasto insanabile tra questo tipo di condizionamento vigente che
viene considerato « normalità », e una vagheggiata, vellei-
taria proiezione ideale, autentica, del reale.

E difatti proprio come figura-simbolo di una adesione alla normalità, come emblema grottesco della grottesca
società degli indifferenti, il testo rimanda l'immagine del
fantoccio réclame stupido e ilare che con

> « fede candida e incrollabile [...] passava e ripas-
> sava una lama di rasoio sopra una striscia di pel-
> le » (p. 277)

della sua faccia rosea. A Michele che lo fissa nella vetrina
del profumiere tra cascate di saponette rosee e verdoline,
esso appare, nella sua vitalità fissata da automatismi, come lo spettro di un altro se stesso, integrato, concreto, at-
tivo, sincero, divenuto

> « un vero uomo qualunque, egoista e logico come
> ce ne sono tanti » (pp. 276-277).

E difatti nel capitolo conclusivo quello spettro pro-
fetico ritorna, quando l'etichetta di fantoccio viene a coin-
volgere proprio e soltanto i due indifferenti, Michele e
Carla (che ritornano in taxi dalla casa di Leo), fissandoli,

ormai integrati e rinunciatari, nel novero della normalità inferiore:

« [...] i sobbalzi della corsa li facevano saltare e urtarsi come due fantocci senza vita, dalle membra di legno, dagli occhi spalancati ed estatici » (p. 337).

Ora torniamo, dopo questa rapida ricognizione su un motivo sintomatico del romanzo, che risponde poi in un certo senso a un tema ricorrente, pur in prospettive diverse, nei primi decenni del secolo (si pensi solo al manichino metafisico di De Chirico o ai burattini, agli uomini automatici della narrativa e del teatro di Bontempelli), al colloquio tra Leo e Michele, che, condotto saldamente dal Merumeci con tono oscillante dall'amichevole al canzonatorio, prosegue fino alla fine del primo capitolo; il quale si chiude al solito sull'uscita di scena dei personaggi.

La rappresentazione riprende avendo come sfondo un altro interno, la sala da pranzo di casa Ardengo. Il solito gioco di chiaroscuro che, nel mutare degli ambienti, permea di sé il paesaggio dell'« indifferenza »; una zona luminosa, generalmente piccola e circolare, circondata, divorata dal buio, è condizione ricorrente di ogni interno, cosí sistematica da apparire fattore congenito al progetto di tutto il romanzo, col compito da un lato di « restringere » la scena dell'azione e di renderla priva di aperture, di sbocchi, « oppressa » da quest'ombra che le gravita intorno, e dall'altro di dare anche la luce, come presenza immutabile e immutata, in omologia con gli altri elementi della rappresentazione. Non a caso proprio durante la cena, poco piú avanti, Carla, nell'annoverare tra sé « tutti gli oggetti della sua noia », pone in primo luogo la luce:

« la solita luce senza illusioni e senza speranze, particolarmente abitudinaria, consumata dall'uso come la stoffa di un vestito e tanto inseparabile dalle loro facce, che qualche volta accendendola bruscamente sulla tavola vuota ella aveva avuto la netta impressione di vedere i loro quattro volti, della madre, del fratello, di Leo e di se stessa, là, sospesi in quel meschino alone » (pp. 18-19).

Laddove questo soliloquio, che, al pari di tutti gli altri discorsi indiretti liberi presenti nel testo, ha la funzione di scoprire il personaggio, nell'identificare e sottolineare la noia, come stato d'animo persistente e diffuso della ragazza, nonché cardine della sua crisi, fa della luce elemento · costitutivo e fondamentale degli oggetti, non solo su quanto attiene alla loro funzione, ma alla loro stessa presenza. Comunque, a parte queste notazioni sulla luce, il testo, dallo scenario, passa a darci i necessari ragguagli sulla posizione dei personaggi: Carla è già in scena, seduta al suo posto a tavola, poi entra « la madre », seguita da Michele e Leo. Ed è Mariagrazia appunto a pronunciare, tra il sentenzioso e l'ironico, rivolta al Merumeci, la battuta:

> « "Non si vive per mangiare, ma si mangia per vivere... invece lei fa tutto l'opposto... beato lei" » (p. 17)

introduttiva a quel colloquio tra i quattro che si protrarrà durante tutta la cena, con la precisa funzione di mettere a fuoco i caratteri dei personaggi.

Leo è già tutto nei termini della risposta a Mariagrazia:

> « "Ma no... ma no..." [...] "lei non mi ha capito...: io ho detto che quando si fa una cosa non bisogna pensare ad altro...; per esempio quando lavoro non penso che a lavorare... quando mangio non penso che a mangiare... e cosí di seguito... allora tutto va bene..." (pp. 17-18).

Da queste parole infatti si delinea l'adesione alla vita naturale, animalesca, l'abilità perentoria del personaggio che discrimina chiaramente tra loro gli impulsi, i sentimenti, e li soddisfa uno alla volta in modo, scrive il Barilli, « da permettergli di abbandonarsi tutto ora alla libidine, ora agli interessi, ora alla vita mondana ».[6] Chiuso in questo suo sano egoismo, il Merumeci intravede e sceglie in ogni occasione la soluzione piú naturale; senza tentennamenti, senza mai smarrirsi, lascia cadere ciò che è vano, complicato, difficile, e che non attiene alla realizzazione dei suoi disegni piú immediati, con una strategia spre-

---

[6] R. Barilli, *La barriera del naturalismo*, Milano, Mursia, 1970, p. 77.

giudicata e cinica che ne fa l'incarnazione perfetta della logica borghese. Si veda ad esempio il modo sbrigativo con cui il Merumeci liquida le perplessità di Carla relative all'inconciliabilità di un rapporto d'amore con lui che le è « quasi padre »:

« "Perché?" [...] "forse in linea generale... ma nei casi singoli ciascuno fa secondo i propri sentimenti" » (pp. 71-72).

E ancora subito dopo come, all'osservazione della ragazza:

« "Ma è contro natura!" » (p. 72)

replichi con un

« "Sí, ma poiché tu non sei mia figlia il pensiero non conta" » (p. 72)

nella maniera rapida e definitiva di chi ha fretta di passare ad altro, ovvero, nel caso specifico, di fissarle l'appuntamento in giardino dopo pranzo. Incapace di un sentimento autentico, anche il pensiero della « rovina » di Carla, da lui progettata con sistematica decisione e portata avanti senza un'incertezza, seguendo sempre l'unico filo logico di una sensuale avidità, non gli suscita pietà o malinconia, ma soltanto

« [...] una vanità, un orgoglio di essere la vivente fatalità di quella vita » (p. 73).

Con questa « filosofia », che affonda le radici nel mito borghese del « successo », Leo si presenta come il modello positivo della società in cui vive, che sta alle regole del suo gioco economico e sessuale, compiaciuto di sé e della sua condizione:

« "Ed io invece signori miei tengo ad affermare che tutto mi va bene, anzi benissimo e che sono contentissimo e soddisfattissimo e che se dovessi rinascere non vorrei rinascere che come sono..." » (p. 19).

Di qui la sicurezza, la superiorità che egli usa nei confronti di creature insicure, deboli come i tre Ardengo, di

qui il suo ruolo di antagonista di Michele, Carla, Mariagrazia, i quali si rivelano, nel corso di questa conversazione « familiare », che definiremmo paradigmatica, sullo stato di « felicità » dei commensali, ognuno a suo modo, scon-
tenti e insoddisfatti. Al felicissimo Leo, tutto « concretezza » e assenza di problemi, si contrappone una Mariagrazia che si perde in chiacchiere petulanti, vittimistiche, tor-
mentata dal passare degli anni, dallo sfiorire della giovinezza, preda di una gelosia ossessiva per l'amante, che
è sintomo primo e della sua diffusa insicurezza e del suo
timore di qualsiasi mutamento. Il ruolo di antagonista del
Merumeci si precisa meglio nei confronti del ragazzo Ardengo. Distaccato, indifferente, immerso in una condizione di problematicità radicale, Michele è proprio personaggio di stampo opposto a Leo, in quanto non sa orga-
nizzare in maniera univoca le sue azioni. Cosí, durante la
cena, vorrebbe offendere Leo, ingiuriarlo, rompere con
lui, eppure « a malavoglia » lo invidia, come rappresentan-
te perfetto di quella « normalità », sia pure « inferiore » e
« piccolo borghese », che lo disgusta e lo·attira al tempo
stesso. Già questo suo primo tentativo di reazione concreta, di rivolta, resta al livello di intenzione, non trovando
Michele in se stesso quella carica istintiva che accompagna la traduzione del pensiero in azione:

> « "Ecco", pensava "ora bisognerebbe rispondergli per
> le rime, ingiuriarlo, far nascere una bella questione
> e alfine rompere con lui"; ma non ne ebbe la sin-
> cerità; calma mortale; ironia; indifferenza » (p. 19).

A Carla poi, che già abbiamo visto annoiata e impaziente spettatrice dei « soliti discorsi » di casa Ardengo,
« delle solite cose, piú forti del tempo », l'ultima, imman-
cabile, immotivata scena di gelosia della madre a Leo, non
fa che acuire l'ansia di un definitivo mutamento, impre-
gnandola di atterrita disperazione. La sua rivolta, la sua
volontà di cambiare ad ogni costo passa da un momento
astratto, generico, ma in un certo senso vero

> « Delle risoluzioni assurde passavano per la sua te-
> sta; andarsene, sparire, dileguarsi nel mondo, nel-
> l'aria » (pp. 21-22)

allo stadio di acquiescenza a Leo, che rappresenta l'unica alternativa concreta in un pantano di noia e di indifferenza:

« Si ricordò delle *interessanti* parole di Leo: "Tu hai bisogno di un uomo come me". Era la fine: "Lui o un altro..." pensò; la fine della sua pazienza, dalla faccia della madre i suoi occhi sofferenti passarono a quella di Leo: eccoli i volti della sua vita, duri, plastici, incomprensivi, allora riabbassò lo sguardo sul piatto dove il cibo si freddava nella cera coagulata dell'intingolo » (p. 22).

Dove in quest'ultimo segmento narrativo sembra operàre la suggestione della tecnica cinematografica nell'uso della carrellata di primi piani che, posto il punto di osservazione in Carla stessa, passa dal volto della madre a quello di Leo, tagliando poi la scena su un'inquadratura ravvicinata del cibo immerso in un sugo raggelato e cereo, che è immagine in linea con l'alone plumbeo, con la coltre funerea che gravita sul paesaggio dell'indifferenza. Né mancano spunti di tecnica teatrale, come l'indicazione delle entrate, peraltro silenziose, della cameriera, o come il montaggio di un segmento narrativo di registrazione-didascalia nell'estremo scorcio del capitolo, il quale al solito si conclude con l'uscita di tutti e quattro dalla sala da pranzo.

Nel salone di casa Ardengo è ambientata la scena successiva:

« Entrarono nel freddo oscuro salone rettangolare che una specie di arco divideva in due parti disuguali e sedettero nell'angolo opposto alla porta; delle tende di velluto cupo nascondevano le finestre serrate, non c'era lampadario ma solamente dei lumi in forma di candelabri, infissi alle pareti a eguale distanza l'uno dall'altro; tre dei quali, accesi, diffusero una luce mediocre nella metà piú piccola del salone; l'altra metà, oltre l'arco, rimase immersa in un'ombra nera in cui si distinguevano a malapena i riflessi degli specchi e la forma lunga del pianoforte » (p. 26).

La scenografia è dettagliata e perfetta, con quelle tende di velluto scuro e, dietro, quelle finestre serrate che
acuiscono l'impressione di un « interno » chiuso, cupo, con
la solita illuminazione che Wlassics definisce « ad iceberg »,[7] che divide di fatto l'ambiente in due parti di diversa grandezza; una vasta, misteriosa, immensa, l'altra,
piú piccola, zona di luce « mediocre ».

Proprio qui, dopo un istante di silenzio, si accende tra
i quattro personaggi, e soprattutto tra Michele e Leo, la
discussione riguardo al pagamento di un'ipoteca che grava
sulla villa di Mariagrazia, luogo di ambientazione di quasi tutto il romanzo. Ora l'ipoteca è nelle mani del Merumeci, il quale, comportandosi in affari con quello stesso
pratico cinismo di cui ha fatto sfoggio in campo erotico,
ovvero non accettando motivazioni eterogenee rispetto al-
l'economico, si rifiuta categoricamente di concedere ulterio-
ri proroghe di pagamento. Di fronte all'unica prospettiva
rimasta, quella di vendere la villa e di andare ad abitare
in un appartamento di poche stanze, si fa strada nella mente ambiziosa ed esaltata della madre l'idea terrificante ed
« estranea » della povertà:

« [...] la paura della madre ingigantiva; non aveva
mai voluto sapere di poveri e neppure conoscerli di
nome, non aveva mai voluto ammettere l'esistenza di
gente dal lavoro faticoso e dalla vita squallida. "Vi-
vono meglio di noi" aveva sempre detto; "noi abbiamo maggiore sensibilità e piú grande intelligenza e perciò soffriamo piú di loro..."; ed ora, ecco,
improvvisamente, ella era costretta a mescolarsi, a
ingrossare la turba dei miserabili; quello stesso senso di ripugnanza, di umiliazione, di paura che aveva provato passando un giorno in un'automobile
assai bassa attraverso una folla minacciosa e luri-
da di scioperanti, l'opprimeva; non l'atterrivano i
disagi e le privazioni a cui andava incontro, ma in-

---

[7] T. Wlassics, ne *Il paesaggio dell'indifferenza: lo sfondo degli Indifferenti di Moravia* (« Sigma », 28 settembre 1971) definisce tale tipo
ricorrente di illuminazione « ad iceberg », in quanto rimanda all'immagine di una realtà divisa in due parti uguali, una « piccola e semplice »,
l'altra « invisibile e insospettata », ma enorme, misteriosa, paurosa; da ciò
passa a concludere che « il tema de *Gli indifferenti*, l'indifferenza, è appunto l'inabilitante sgomento di fronte all'iceberg dell'esistenza: l'insi-
gnificanza del conosciuto e la spaventosa complicazione dell'incognito ».

vece il bruciore, il pensiero di come l'avrebbero trattata, di quel che avrebbero detto le persone di sua conoscenza, tutta gente ricca, stimata ed elegante; ella si vedeva, ecco... povera, sola, con quei due figli, senza amicizie ché tutti l'avrebbero abbandonata, senza divertimenti, balli, lumi, feste, conversazioni: oscurità, completa, ignuda oscurità » (p. 27).

Dove l'orrore della donna, la sua concezione « razzista » dei poveri, cui assegna minore sensibilità, intelligenza e finanche capacità di soffrire, introduce la specifica dialettica sociale di Moravia ne *Gli indifferenti*, ovvero una schematica opposizione tra ricchi e poveri.[8] Opposizione di ambienti che si ritrova nell'atteggiamento e nelle riflessioni della decaduta Mariagrazia, durante la corsa in auto verso l'hotel Ritz:

« Anche la madre guardava attraverso il finestrino, ma piuttosto che per vedere, per farsi vedere: quella grande e lussuosa macchina le dava un senso di felicità e di ricchezza, e ogni volta che qualche testa povera o comune emergeva dal tenebroso tramestío della strada e trasportata dalla corrente della folla passava sotto i suoi occhi, ella avrebbe voluto gettare in faccia allo sconosciuto una smorfia di disprezzo come per dirgli: "Tu brutto cretino vai a piedi, ti sta bene, non meriti altro... io, invece, è giusto che fenda la moltitudine adagiata su questi cuscini" » (p. 127).

L'immagine evidenzia, con toni invero un po' dimostrativi e voluti, nell'equazione ricchezza = felicità, il risvolto patetico di un personaggio, che, sentendo vicina la fine sua e del suo mondo, si rifiuta di prenderne atto e resta aggrappato alla speranza che nulla cambi.

Di fronte alla disperata resistenza della madre, alla sua esaltazione, e allo scetticismo di Carla, Michele, per quanti sforzi faccia, stenta ad appassionarsi; la questione della loro rovina economica, pur vitale, gli resta estranea; cosí l'insulto che rivolge a Leo non è frutto di una collera istin-

---

8 Vedi A. Sanguineti, *Alberto Moravia*, Milano, Mursia, 1962, p. 11.

tiva e sincera ma « costruito », nei modi e nei tempi, sulla base di un modello esterno, ovvero del ricordo di un alterco tra due signori cui il ragazzo aveva assistito in tram. Ed è significativo che per agire Michele faccia appello ad un episodio di cui egli è stato solo spettatore, parte questa cui resterà di fatto legato durante tutta la vicenda drammatica che si svolge, sostanzialmente, sempre fuori di lui. E l'ingiuria inefficace diventa il primo di una serie di gesti di Michele nei confronti di Leo, che, in un crescendo comunque livellato dalla comune gratuità, vanno dallo schiaffo mancato del VI capitolo al lancio del portacenere, che naturalmente sbaglia bersaglio, nell'VIII, fino al famoso colpo di rivoltella, scarica, del XV, destinato, nelle sue intenzioni, a vendicare lo stupro di Carla. Atti sempre piú gravi, ma privi non solo di adesione sincera, ma anche di fede. Lo dice Michele a se stesso.

« " [...] un po' di fede... e avrei ucciso Leo... ma ora sarei limpido come una goccia d'acqua" » (p. 348).

E lo chiarifica Moravia:

« Michele, dunque, è un uomo che per agire non ha che motivi personali, ossia motivi che non sono veri motivi dal momento che valgono soltanto per lui. *Gli indifferenti* è il dramma della ricerca d'una ragione assoluta d'azione e di vita; ricerca che nelle condizioni, circostanze e ambiente in cui si trova Michele, logicamente fallisce ».[9]

La sua « indifferenza » non è impassibilità nell'accezione comune del termine, ma è incapacità di adesione immediata, naturale, alle cose, inettitudine a scegliere e a realizzare i progetti in modo deciso, perentorio. Il ragazzo vede di volta in volta quale dovrebbe essere la reazione giusta, *normale*, ma non per nulla essa è data sempre al condizionale:

« [...] avrebbe voluto essere tutt'altro, sdegnato, pieno di rancore, pieno di inestinguibile odio [...] » (p. 57).

    [9] A. Moravia, *Storia dei miei libri*, « Epoca Lettere », III, n. 23, 28 marzo 1953.

Una sistematica perplessità, una prospettiva problematica gli impediscono di inserirsi nel ritmo codificato, produttivo della società in cui vive; la tendenza all'analisi, all'autocoscienza del dramma pone le premesse della sua deviazione dalla norma, del suo straniamento dal dramma stesso. Alla ricerca di un valore saldo, di un sentimento autentico, Michele rifiuta il codice piccolo borghese vigente, avverte con ironica chiaroveggenza la falsità, il ridicolo che sta dietro quel sistema di abitudini, gusti, convenzioni, in forza del quale agiscono Leo, Lisa, Mariagrazia:

> « E apparteneva anche alla madre questo mondo deforme, falso da allegare i denti, amaramente grottesco; per lui, per la sua chiaroveggenza, non c'era posto » (p. 237).
> « "Tutto qui diviene comico, falso; non c'è sincerità... io non ero fatto per questa vita" » (p. 174).

E lui ipotizza una realtà diversa, superiore, in cui siano recuperati gli antichi valori della dignità, dell'onore, della rettitudine, in cui siano ristabilite la legittimità e la immediatezza del binomio movente-comportamento, in cui la verità dei sentimenti e la dimensione del tragico riacquistino diritto di cittadinanza. Chiarissimo, in tal senso, il soliloquio di Michele nel capitolo XII:

> « Non esistevano per lui piú fede, sincerità, tragicità; tutto attraverso la sua noia gli appariva pietoso, ridicolo, falso; ma capiva la difficoltà e i pericoli della sua situazione; bisognava appassionarsi, agire, soffrire, vincere quella debolezza, quella pietà, quella falsità, quel senso del ridicolo; bisognava essere tragici e sinceri.
> "Come doveva esser bello il mondo" pensava con un rimpianto ironico, quando un marito tradito poteva gridare a sua moglie: "Moglie scellerata; paga con la vita il fio delle tue colpe" e, quel ch'è piú forte, pensar tali parole, e poi avventarsi, ammazzare mogli, amanti, parenti e tutti quanti, e restare senza punizione e senza rimorso: quando al pensiero seguiva l'azione: "ti odio" e zac! un colpo di pugnale: ecco il nemico o l'amico steso a terra in

una pozza di sangue; quando non si pensava tanto,
e il primo impulso era sempre quello buono; quando la vita non era come ora ridicola, ma tragica, e
si moriva veramente, e si uccideva, e si odiava, e si
amava sul serio, e si versavano vere lacrime per vere sciagure, e tutti gli uomini erano fatti di carne ed
ossa e attaccati alla realtà come alberi alla terra.
A poco a poco l'ironia svaniva e restava il rimpian-
to; egli avrebbe voluto vivere in quell'età tragica e
sincera, avrebbe voluto provare quei grandi odi tra-
volgenti, innalzarsi a quei sentimenti illimitati... ma
restava nel suo tempo e nella sua vita, per terra »
(pp. 233-234).

Ma poiché tale sistema di certezze è irrealizzabile « nel
suo tempo e nella sua vita » e soprattutto nel suo ambiente,[10] resta dominante nel personaggio la nostalgia, l'ironia,
una consapevolezza a livello negativo che genera solo impotenza:

« [...] ma lo sapeva, era inutile sperare, quella terra
promessa gli era proibita, né l'avrebbe mai raggiun-
ta » (p. 136).

Dall'impotenza a realizzare questo tipo di normalità
superiore e insieme dall'incapacità di integrazione nella
normalità « inferiore », nella realtà, nasce e vive il dramma di Michele, la sua tormentosa condizione di personaggio anomalo. A volte, per uscire da questo limbo del-

---

[10] Si noti infatti come l'unico esempio di donna genuina, persuasiva,
incontrata da Michele, sia la prostituta (pp. 274-275), di evidente estra-
zione popolare, incarnazione di una sincerità vitale introvabile nell'« one-
sta società borghese », tema questo che, recuperato da una lunga tradizione romantica, verrà poi ripreso da Moravia ne La Romana.
Ancora l'uomo e la donna intravisti durante la passeggiata sotto la
pioggia all'uscita dal Ritz (l'uno immobile, all'interno della grande lussuosa automobile, l'altra avvinghiata alle sue spalle in atto supplichevo-
le), immagini che nella mente del ragazzo Ardengo si fanno mito di
un « [...] mondo dove si soffriva sinceramente, e si abbracciava delle
spalle senza pietà [...] » (p. 136), appartengono a « tutt'altro ambiente che
il suo, forse stranieri ».
Dove si vede una vera critica sociale non rientra fondamental-
mente nel progetto del romanzo; lo sguardo critico dell'autore si appunta
sul « suo » ambiente, su quella borghesia romana provinciale e preten-
ziosa che è il luogo da smascherare, con puntiglioso rancore, nelle ri-
dicole velleità di grandezza, nella falsità congenita; altrove, nel popolo
o nell'alta borghesia, è forse possibile vivere e soffrire sinceramente.

l'indifferenza e dalla solitudine, Michele postula un'ipotesi minima, ma irresistibile:

« [...] la madre eccitata e interessata, Leo falso, Carla stessa che attonita lo guardava, gli parvero in quel momento *ridicoli* eppure *invidiabili* appunto perché essi *aderivano* a questa *realtà* [...] mentre per lui, gesti, parole, sentimenti, tutto era un gioco vano di finzioni » (p. 31).

Vanno sottolineati nella lettura quei due aggettivi accoppiati per antitesi che sono il segno dell'opposizione tra il doloroso disadattamento del personaggio-indifferente e la facile integrazione degli altri, che si identificano perfettamente nella stessa cerchia sociale, ma anche e soprattutto il sintomo del contrasto interno all'alienazione di Michele, oscillante tra il rifiuto chiaroveggente e l'irresistibile attrazione della normalità, falsa eppure unica parvenza di certezza, nel disperante impasto di ipocrisia del mondo borghese degli anni '30, unica forza di gravità garante di un assorbimento indolore dell'esistere; basta lasciarsi andare, senza necessità di pensare, di analizzare. Su questa oscillazione, i cui poli restano immutati lungo tutto il romanzo, sulla coincidenza di un'onnivora capacità di diagnosi e di una debolezza, di un'impotenza vitale, ristagna il dramma di Michele, che per la sua natura intrinseca non ha in se stesso la facoltà di evolversi, di maturare, ma semmai solo quella di riaffermare la sua presenza, ripetendo sempre lo stesso gesto. Abbiamo già visto ad esempio come non accetti la presenza di Leo, e nello stesso tempo non arrivi ad odiarlo, o come, cogliendo perfettamente il suo perentorio cinismo, a tratti lo invidi:

« [...] Michele [...] avrebbe voluto non pensarci, e come ogni altra persona, vivere minuto per minuto, senza preoccupazioni, in pace con se stesso e con gli altri; "essere un imbecille" sospirava qualche volta; ma quando meno se l'aspettava una parola, una immagine, un pensiero lo richiamavano all'eterna questione; allora la sua distrazione crollava, ogni sforzo era vano, bisognava pensare » (p. 134).

Abbiamo ancora visto come l'opposizione al Merumeci, che è tema fisso di tutto il romanzo, si sia concretizzata

ad esempio, nel III capitolo, in un'esclamazione ingiurio-
sa del ragazzo, giunta distaccata e priva di forza provoca-
trice; infatti Michele, un po' come, prese le debite distanze, il personaggio di Brecht, il quale, recitando la sua parte non perde la facoltà di giudicare e giudicarsi, interrompe il gesto, lo seziona per ironizzare, cosicché, nel por-
tarlo a compimento, esso esce regolarmente straniato e
fuori tempo massimo. Il dramma di Michele, è ormai fin
troppo chiaro, non presenta una sua parabola, ma solo
una serie di situazioni esemplificative della sua condizione immobile di diversità, di solitudine.

Come dal confronto con Leo balzano fuori per antitesi la debolezza e l'idealismo del ragazzo e ancora il suo
disinteresse e la sua impotenza economica, cosí il rapporto
con Lisa verifica la sua non accettazione dell'ipocrisia sentimentale borghese. Il quinto personaggio svolge veramente nello schema dell'intreccio una duplice essenziale funzione: già amante di Leo, è oggetto dell'ottusa gelosia di
Mariagrazia (la quale, riversando su di lei tutti i propri
timori e le proprie angosce, non si accorge che è la figlia
a tradirla), invaghita di Michele, lo corteggia apertamente,
sognando di iniziare con lui un rapporto nuovo e puro.
Se i ruoli del personaggio, secondo la consueta tattica moraviana, sono già evidenti fin dalla prima apparizione di
Lisa nel salotto di casa Ardengo (terzo capitolo-ingresso al
solito annunciato come in un testo di teatro e subito seguito da un segmento-didascalia), la sua natura si scopre
nel lungo soliloquio interiore della mattina seguente (capitolo quinto), in casa sua, mentre attende, piena di ridi-
cole fantasie, l'arrivo di Michele, invitato con una scusa:

« [...] alfine un amore puro: "Dopo la vita che ho
fatto" pensò convinta, "fa bene un po' d'innocenza".
Notti insonni, faticosi piaceri, eccitamenti senza gioia,
questa sudicia nebbia dileguava. Michele le portava
il sole, il cielo azzurro, la franchezza, l'entusiasmo,
l'avrebbe rispettata come una dea, avrebbe appog-
giato la testa sulle sue ginocchia; ne aveva un desiderio insaziabile, e non vedeva l'ora di bere a questa fontana di giovinezza, di tornare a quest'amore nuovo, balbettante, pudico che da vent'anni quasi aveva dimenticato; Michele era la purezza: ella si

sarebbe data al ragazzo senza lussuria, quasi senza ardore; tutta nuda gli sarebbe venuta incontro a passi di danza, e gli avrebbe detto: "Prendimi"; sarebbe stato un amore straordinario, come non si usano piú » (pp. 51-52).

Laddove, nel ricorso alle immagini stereotipe nonché metaforiche della fontana di giovinezza, del sole, del cielo azzurro, nel paragone banale (l'avrebbe rispettata come una dea), Lisa, nel progettare e facilitare la sua conquista da parte dell'adolescente, si compiace di colorarla di un'atmosfera rosea e patetica.

E Lisa rappresenta appunto la versante romantica di quel costume sessuale piccolo borghese che Leo incarna in chiave cinica e calcolatrice; pertanto, per una sorta di « simmetria » che Moravia doveva aver ben presente nella costruzione del romanzo, come il Merumeci costituisce l'unica alternativa concreta alla noia di Carla, cosí la florida, piacente Lisa fa balenare agli occhi di Michele una via d'uscita dalla dolorosa solitudine. Ma Michele testimonia ancora una volta, non senza le incertezze dell'adolescente perplesso e infastidito, la sua natura « autre »: non ce la fa a lasciarsi andare, e poi i ripetuti tentativi di seduzione di Lisa, caricati di sdolcinature, di banalità, di ipocrisie, gli sembrano senza possibilità di scampo un'« indegna commedia »:

« [...] non gli era mai accaduto di vedere la ridicolaggine confondersi a tal punto con la sincerità, la falsità con la verità; un imbarazzo odioso lo possedeva » (p. 60).

Un'altra indegna commedia, un'altra commediante che rientra nel piú vasto gioco vuoto e meschino del costume sessuale del suo ambiente, della « sua » borghesia:

« "[...] tu sei cosí... nulla da fare... siete tutti cosí..." [...] "Meschini, gretti... l'amore per andare a letto..." » (p. 63).

Il rifiuto di Lisa, equiparata agli altri, a tutti gli altri, la resistenza alle sue manovre è certamente un ulteriore segno orientato nel senso di un'ostinata inibizione a qualsiasi forma di adattamento; è dunque un gesto inutile, ingenuo, sterile, secondo il « buon senso » vigente. Cosí, visto dalla parte di Leo, il « no » di Michele sembra sfuggire ad ogni evidenza logica, risulta come il rovesciamento dell'ordine naturale delle cose:

> « "E poi, lasciamo andare" continuò Leo; "quando vedo un ragazzo come te, senza grandi conoscenze, senza grandi risorse, fare lo sdegnoso con una donna come Lisa, che sarà quel che sarà, ma certo non è da disprezzarsi... ecco mi *sembra* che *il mondo sia capovolto*".
> "Lascia che si capovolga" mormorò Michele, ma l'uomo non lo udí » (p. 118).

E il dialogo tra i due, nel taxi, di ritorno dalla casa di Lisa, continuando a lungo sullo stesso tono, viene a rappresentare un momento nodale nell'individuazione, per diretto confronto, di due diverse concezioni dell'erotico, che per Michele è un modo di essere, è parte integrante della sua personalità, in quanto si complica e si articola nell'area dei suoi sentimenti, riflettendo e riflettendosi nel contatto con gli altri e con le cose, nell'interezza del suo comportamento, mentre per Merumeci l'atto sessuale è un qualcosa che si ha, è un fatto esterno, circoscritto alla sfera in cui si compie, fissato e risolto entro i termini di una somma di convenienze e finisce dunque per integrarsi con l'economico, prospettiva questa che si evidenzia particolarmente nell'ultimo brano della conversazione:

> « "O allora... perché non sei restato?".
> "Ma... perché non la amo".
> Questa risposta fece sorridere Leo: "Ma, vediamo" incominciò, "credi tu forse che si debba andare con una donna soltanto quando la si ama?".
> "Io credo questo" rispose Michele senza voltarsi, in tono serio.
> "O allora..." mormorò Leo un po' sconcertato; "ma io per esempio" soggiunse tranquillamente, "troppe donne ho avuto che non ho mai amato... la stessa Lisa l'ho presa senza amarla... e ciò nonostante non ho mai avuto a pentirmene...: mi son divertito quanto chicchessia".
> "Non ne dubito" disse Michele a denti stretti; "Che

Dio ti maledica" avrebbe voluto rispondergli: "Credi tu che tutti al mondo siano come te?".

[...]

Michele lo guardava: "Dunque secondo te" domandò "non dovrei rinunziare a Lisa...".

"Ma già..., sicuro" approvò Leo togliendosi di bocca la sigaretta; "prima di tutto perché Lisa non è davvero da buttarsi via; oggi appunto la guardavo... è grassa ma soda...: ha un petto" egli aggiunse con una strizzatina dell'occhio all'indirizzo di Michele disgustato "e dei fianchi... e poi caro mio, quella è una donna che può dare molte maggiori soddisfazioni che non una delle solite signorine all'acqua di rose... è piena di temperamento... una vera femmina... e in secondo luogo dove la trovi oggi un'amante che ti riceva in casa? Questo, per *te che non puoi pagarti la camera o l'appartamentino, è una grande comodità*; vai, vieni, entri, esci, nessuno ti dice nulla, sei come in casa tua; te ne infischi; invece, soprattutto alla tua età, si finisce sempre per portar l'innamorata in certi brutti posti, ristoranti, alberghi, ecc. che tolgono l'appetito soltanto a pensarci... se a tutto questo aggiungi che *Lisa non ti costerà un soldo, dico un soldo*... ecco io non so cosa si possa desiderare di piú..." » (pp. 118-119).

Dove si deve anche notare il tono paternalistico di Leo, che intende insegnare all'ingenuo ragazzo le norme della praticità borghese, seguendo un luogo tipico indicato dalla narrativa nel rapporto tra personaggio-antagonista, cui arride il successo, e l'inetto, e sancito da esempi piú o meno famosi: basta pensare ai consigli dello scultore Balli, volti a mutare il comportamento sessuale fallimentare e sentimentaleggiante di Emilio nel secondo romanzo sveviano, *Senilità*, oppure, per quanto riguarda il campo dell'economico, alle regole, ai teoremi dettati dal Malfenti a Zeno per far prosperare i suoi affari; o ancora ai consigli categorici dati di volta in volta ne *La vita operosa* di Bontempelli, dai vari antagonisti, ignoranti ed attivi, al reduce-intellettuale, inetto e straniato, ai fini di una produttiva e facile integrazione nella società borghese capitalistica del primo dopoguerra.

E altrettanto comune, irrinunciabile, è il fatto che tali regole, una volta applicate dal personaggio « diverso », non funzionino piú, non gli giovino; Michele non sfugge alla norma, ma è forse un passo avanti rispetto a questi altri antieroi della narrativa italiana degli anni '20[11] sulla linea di una maggiore consapevolezza critica; ché l'indifferente già in partenza appare « disgustato » della volgarità di fondo di questa strategia dell'arrivismo borghese; egli continua dunque imperterrito a giocare contro se stesso, a perfezionare la sua sconfitta, ma è un fallimento, il suo, che negli atti mancati, nelle velleitarie fantasie, risulta l'unica rivolta possibile, dal momento che il contatto con la realtà lo renderebbe immediatamente complice. Cosí al rifiuto di Lisa si accompagna il sogno della donna ideale:

« [...] la sua solitudine, le conversazioni con Lisa gli avevano messo in corpo un gran bisogno di compagnia e di amore, una speranza estrema di trovare tra tutta la gente del mondo una donna da poter amare sinceramente, senza ironie e senza rassegnazione: "Una donna vera" pensò; "una donna pura, né falsa, né stupida, né corrotta... trovarla... questo sí che rimetterebbe a posto ogni cosa". Per ora non la trovava, non sapeva neppure dove cercarla, ma ne aveva in mente l'immagine, tra l'ideale e materiale, che si confondeva con le altre figure di quel fantastico mondo istintivo e sincero dove egli avrebbe voluto vivere [...] » (p. 164).

Ed ecco l'immagine della donna « che non si trova » prende forma dall'esaltazione, dal desiderio di Michele, fin dalle prime note della musica che Carla suona al piano (cap. VIII): è un'immagine di fanciulla allo stato adolescenziale, snella, pura, priva di lusinghe e di lascivia, con lo sguardo franco e attonito dei bambini, cui si sovrappone poco dopo (la definizione dei personaggi per antitesi, il montaggio a contrasto rientra evidentemente nella tecnica narrativa moraviana) la visione di Leo, l'oggetto tutto carnale e « rotondo » dei suoi desideri:

---

[11] Il riferimento vale per i protagonisti de *La vita operosa* (1922) e de *La coscienza di Zeno* (1923).

« [...] ecco Carla completamente nuda, seduta su quello stretto sgabello, davanti al pianoforte; gli pareva di vedere in quell'angolo pieno d'ombra quel dorso bianco spartito da un solco curvo, i fianchi larghi e rotondi, e ora che ella si voltava anche i due seni. Ma la musica era finita e la realtà tornava [...] » (p. 166).

Come tutte le visioni di Leo, che, costantemente prive di astrattezza, hanno in genere il compito di anticipare, affrettare gli eventi concreti, eliminando gli indugi frapposti dalle situazioni e dalle convenienze, questa immagine di Carla risulta fortemente innestata nella realtà, dal momento che la ragazza è effettivamente lí, seduta sullo sgabello; la fantasia del Merumeci non fa altro che caricare la situazione in atto di tutta la sua sensualità:

« [...] musica, conversazione, silenzio, tutto gli riusciva di intollerabile fastidio, la libidine lo divorava, non aveva che un desiderio: portarsi a casa Carla e prenderla [...] » (p. 167).

Dove anche la scrittura non tollera ritardi o interferenze e l'andamento paratattico scandisce l'ansia di Leo, la sua volontà di una rapida successione, quasi una coincidenza, delle due azioni (1-portare a casa Carla, 2-prenderla) e anticipa l'« asetticità » perentoria dell'atto di possesso, quanto mai diverso dal rito intenerito e sentimentaleggiante preparato da Lisa a Michele. Asetticità già mirabilmente rappresentata nel capitolo settimo, nel tentativo di stupro compiuto nella casa del giardiniere e fallito solo per l'eccessiva ubriachezza e il malore della ragazza:

« Ma un rumore di bottoni spezzati, che rotolavano sul pavimento, certe scosse al dorso, la fecero trasalire; ella riaprí gli occhi, vide un volto acceso ed eccitato curvo su di lei, si accorse di avere le spalle nude, si dibatté, si aggrappò invano agli orli del suo vestito come a quelli di un precipizio; due strappi violenti quasi le ruppero le unghie; con un *affaccendamento minuzioso* che stranamente contrastava con il turbamento della sua faccia, Leo sollevò per un istante la fanciulla dal letto e non senza difficoltà

abbassò la veste fino alla cintola; poi le si ributtò
sul petto e si diede con dita alacri a sfilare le braccia nude dalle bretelline della sottoveste. Spaventa-
ta, Carla lo guardava, e ogni volta che tentava di
dibattersi, lo vedeva *fare dei gesti di chirurgo durante l'operazione*, inarcando le sopracciglia, scuo-
tendo la testa e torcendo la bocca come per dire:
"No cara... non impressionarti... non è nulla... lascia fare a me...". *Questa mimica imperiosa* e il lan-
guore che ora diveniva nausea, poterono piú che gli
sforzi di Leo; Carla cedette, alzò le braccia quanto
fu necessario alzarle, inarcò il dorso quanto fu necessario inarcarlo, non trattenne la camicia che Leo
abbassò accuratamente sul ventre, e, nuda, s'abban-
donò cogli occhi chiusi sopra il materasso; la nausea si faceva sempre piú forte; ella non pensava piú
a nulla, le pareva di morire » (pp. 104-105)

dove « *l'affaccendamento minuzioso* », la « mimica imperiosa » e soprattutto quel particolare dei gesti di Leo, « gesti di chirurgo durante l'operazione », « proiettano » —
come nota Sanguineti — « sullo sfondo del rituale erotico
la luce tagliente di una spietata sicurezza professionale ».[12]

E tralasciando ora quella scena che è luogo centrale del
romanzo, dove critica sociale e ottica morale si compendia-
no nella potenza rappresentativa della pura degradazione,
la mentalità del Merumeci, la sua idea del possesso come
adempimento di una specifica volizione, si ritrova ancora
nella scena in casa di Leo, nel capitolo X, siglata dai tempi rapidissimi della sua conquista:

« Questi sfoghi d'amore non *durarono piú d'un minuto*; poi egli si alzò goffamente dal letto:
"E ora? [...] Non credi che sarebbe tempo d'andare a dormire?" » (p. 196)

dall'espressione dura e distratta con cui solleva le coltri
e scivola nel letto largo e basso al fianco della ragazza e
confermata subito dopo definitivamente da quel suo son-
no letargico, chiuso, dimentico, da quel respiro regolare,
indifferente, che a Carla sembra non dell'amante,

---

[12] E. Sanguineti, *op. cit.*, p. 20.

« [...] ma di un altro uomo a lei sconosciuto e magari anche ostile [...] » (p. 205).

Ma ritorniamo appunto a Carla che, disgustata come Michele dalla solita vita e da un « milieu » squallido e falso, ha accettato, a differenza del fratello (si ricordi il rifiuto a Lisa), con fatale rassegnazione, la via concreta di mutamento rappresentata dalle proposte di Leo. Ora, se la sua « rivolta » è di tipo sentimentale e intuitivo (e non razionale come quella di Michele), e difatti va avanti a slogan (« Finirla », « Una nuova vita » etc.) ripetuti con cieca caparbietà, pure la ragazza del tutto lucidamente si dà all'amante della madre non tanto *a prezzo della sua rovina*, ma proprio *in quanto sua rovina*, in quanto esperienza di rottura rispetto alle vecchie abitudini, all'educazione ricevuta da « signorina per bene » e soprattutto a quel semiserio e soffocante conformismo sociale che ha il suo migliore portavoce in Mariagrazia:

« "Ma, mia cara" rispose la madre con durezza, "non vedo come una signorina per bene possa cambiar vita se non sposandosi... Allora la vita cambia davvero... si hanno le responsabilità di una casa, bisogna badare al marito... [...]" » (p. 85).

Ebbene, la stessa Carla accetta poi il rovesciamento del suo progetto e il reinserimento della sua parabola rivoluzionaria entro le linee borghesemente convenzionali e predisposte del matrimonio riparatore e fantastica sulla sua futura condizione di « signora Merumeci », invischiandosi in tutti i luoghi comuni dell'ambiente e nella piú tipica mentalità della classe cui appartiene, prospettando a se stessa con compiacimento una bella casa in un quartiere elegante della città, il salotto arredato con lusso e buon gusto, la macchina che l'aspetta alla porta, i gioielli al collo e alle dita, gli eleganti vestiti e perfino l'amante:

« [...] Una camera... ecco: la signora Merumeci, in ritardo per qualche visita d'obbligo, corre incontro al suo amante; tra quelle braccia perde quella sua durezza di statua, queste donne rigide sono sempre le piú ardenti, ridiventa fanciulla, piange, ride, balbetta, è come una prigioniera liberata che rivede

alfine la luce... la sua gioia è bianca, tutta la stanza
è bianca, ella è senza macchia tra le braccia del-
l'amante... la purezza è ritrovata. Poi, quando vien
l'ora, stanca e felice, torna alla casa coniugale e ri-
compone sul suo volto l'abituale freddezza... La sua
vita continua cosí per degli anni... molti la invidia-
no... ella è ricca, si diverte, viaggia, ha un amante,
che piú? tutto quel che può avere una donna lo
ha... » (pp. 344-345).

Ora, fattasi lontana l'idea originaria di una « nuova
vita », tutto le appare semplice:

« Avrebbe voluto gridarglielo a Michele: "tutto è
cosí semplice [...]" » (p. 349)

a Michele che si stava rovinando la vita, che aveva con-
tinuato a cercare autenticità e sincerità, a rifiutare Lisa
e a mitizzare immagini casuali (come quella dell'uomo e
della donna nella macchina lussuosa), o ricordi stereotipi
(l'incontro con la « donna pubblica » fermata per strada e portata in una camera d'albergo), caricandoli di so-
vrasensi, di illusioni; a Michele che aveva sparato con
un'arma scarica a Leo, che fin all'ultimo, debolmente, senza convinzione, si era sforzato di farle intravedere una
nuova vita, l'aveva implorata di non vendersi al Merumeci

« [...] e già pensava di fargli trovar del lavoro, un
posto, un'occupazione qualsiasi, da Leo, appena si
sarebbero sposati... » (p. 349).

Cosí, d'ora in avanti, la vita sarà semplice o comunque meno complicata anche per l'eroe eponimo del romanzo; di una delle sue tante diagnosi lucide sentiamo che
è finalmente quella definitiva:

« "Non ho amato Lisa... non ho ucciso Leo... non
ho che pensato... ecco il mio errore" » (pp. 342-
343).

Senza che nulla accada, Michele rientra nel mondo son-
nolento, corrotto e corruttore da cui non era mai uscito:

« "Trovare un posto... lavorare" si ripeteva turba-
to; senza alcun dubbio Leo parlava seriamente...

quel che asseriva l'avrebbe fatto... lo avrebbe fatto guadagnare... a quella sua vaga sincerità l'uomo
contrapponeva delle promesse solide... cosa scegliere?... La tentazione era forte... denaro, conoscen-
ze, donne, forse viaggi, forse opulenze, ad ogni modo una vita sicura, diritta, chiara, piena di soddisfazioni, di lavoro, di feste, di parole cordiali... tutto questo glielo avrebbe dato il matrimonio di Carla... non avrebbe venduto sua sorella, non credeva
a queste grandi e terribili parole, non credeva al-
l'onore e al dovere... si sentiva indifferente, come
sempre, speculativo e indifferente » (pp. 329-330).

Cosí, mentre Michele si accinge a passare la serata da
Lisa, il romanzo si chiude sui preparativi della madre e
della sorella per il ballo in maschera. La scena finale vede le due donne, il Pierrot bianco e la spagnola nera,
l'una accanto all'altra, nell'atto di scendere le scale, evi-
denziando, nella sintesi allegorica della maschera, l'avve-
nuta equiparazione delle due figure e insieme lo scambio
dei rispettivi ruoli.

Ma l'importante è che la recita continui; le scosse trau-
matiche, i fatti irrimediabili, saranno ammortizzati, attu-
titi, dalle convenienze sociali. « Se no », come dice Mariagrazia « chissà dove si andrebbe a finire... », magari in
tragedia. E invece no, le « regole » ammettono solo il tono da pochade, al massimo da melodramma.

Si è detto che *Gli indifferenti* sono una tragedia manca-
ta. E l'impossibilità della tragedia, come perdita di contatto con il reale, come assenza di fede, di verità, è effettivamente il portato ultimo del romanzo, è l'elemento sto-
ricizzante di un dramma esistenziale, di un imbroglio familiare, che altrimenti potrebbe essere spostato, per ipotesi, nel tempo e nello spazio. Ovvero, poste tutte le condizioni di una tragedia nel luogo per tradizione, anche
classica, deputato, la famiglia, ripreso come nodo drammatico un motivo che affonda vagamente in zona mito-
logica, come la passione quasi incestuosa Leo-Carla, ebbene, posto tutto questo in una società siffatta, il gioco,
per quanto lo si rivolti, non potrà dare che risposte in
chiave grottesca.

COMMENTO CRITICO

Oltre alla giovanissima età dell'autore, definito da Borgese « enfant prodige », fu l'aspetto « scandaloso » del romanzo, che metteva a nudo una realtà assai diversa da quella tronfia, ottimistica, intrisa di sacri ideali, propagandata dal Regime, a fare di un'opera prima come *Gli indifferenti* un caso letterario.

Cosí, nelle vicende della fortuna del libro, attraverso quasi cinquant'anni, bisogna innanzi tutto fare i conti con la polemica fortemente ideologizzata e politicizzata, e aliena da una vera prospettiva letteraria, portata avanti dalla critica cattolica e da quella fascista piú ortodossa, con diversità di ottica e di intenti, ma con lo stesso fervore distruttivo e rinnegatore dei contenuti dell'opera.

Contro la scabrosità della materia sparavano a zero critici cattolici quali Pietro Mignosi e Luigi Tonelli, o ancora Domenico Mondrone, che, in un saggio del '38 dal titolo non certo ambiguo, *Cinismo e sfacelo nell'arte di Alberto Moravia*,[13] notava come la « genuina potenza di narratore, la rara intuizione psicologica, la goldoniana scioltezza del dialogo e la nitidezza con cui profila i suoi personaggi » fossero inglobati da Moravia in « un progetto disgustante » e posti al servizio « della turpitudine e della morbosità piú sbracata ».

Da parte fascista fu naturalmente la diagnosi di una società marcia e priva di ideali, sia nella vecchia che nella nuova generazione, spogliata del suo falso perbenismo, còlta, anche nel nucleo primigenio, la famiglia, nelle sue componenti piú elementari, il denaro e il sesso, a destare l'ostilità delle autorità e della cultura ufficiale, tesa all'idilliaco vagheggiamento di un popolo sano, forte, incorrotto.

Cosí « Il Bargello », organo della Federazione fascista fiorentina, inveiva con argomentazioni addirittura razziste contro *Gli indifferenti*, definito da Fernando Agnoletti[14] « ultima immondizia » e « ignobile romanzaccio tutto giu-

[13] D. Mondrone, *Cinismo e sfacelo nell'arte di Alberto Moravia*, in « La civiltà cattolica », giugno 1938, ora in *Scrittori al traguardo*, I, Roma, « La civiltà cattolica », 1947.
[14] F. Agnoletti, *Zaino in spalla*, in « Il Bargello », 1929, n. 17.

deo »; sulla stessa linea, Aristide Campanile,[15] in « Antieuropa », censurava con toni violenti Moravia che, secondo lui, si crogiolava in una materia tutta « abietta aridità e perverso squallore » e che osava definire come « il nostro tempo corrotto » l'epoca « chiara, luminosa e pura » che splendeva sull'Italia da quando « il Genio la guida ».

Non a caso giudizi meno allineati e profondamente diversi venivano dalla « sinistra » fascista, a suo modo, se pur confusamente, anticonformista e ancora fautrice della polemica antiborghese che rientrava nei programmi fascisti delle origini. Cosí ad esempio Berto Ricci su « L'Universale » dichiarava di preferire « l'antifascista Moravia ai troppo scalmanati e sgrammaticati manipolatori di sonetti con l'acrostico di Benito Mussolini »; e Enrico Rocca[16] ritrovava nel romanzo la società borghese rispecchiata con « incredibile acutezza notomizzatrice » nella sua incapacità alle rinunzie, nel suo arrivismo, nella sua indifferenza.

A parte l'interesse di queste reazioni di ostilità, che sono il sintomo del carattere in qualche modo eversivo del romanzo nel clima accademico e retorico di una cultura ufficiale, autarchica e conservatrice, l'itinerario vero e proprio della critica moraviana si può aprire con le recensioni di Borgese, Pancrazi e Solmi, che individuano nel giovane scrittore elementi che saranno in seguito tra i piú ripresi e dibattuti. A parte l'unanime riconoscimento della precoce maturità dell'autore, cominciava qui la ricerca per una collocazione storico-culturale di Moravia; Borgese[17] indicava quali possibili punti di riferimento i « Sei personaggi » di Pirandello, per le scene « di luci e di stoffe » e, per la tecnica narrativa, il Dostojevskij dell'*Idiota* e degli *Umiliati e offesi*, ma soprattutto riscontrava nell'approccio dell'autore alla sua materia una « coscienziosità obiettiva », aliena da complicità e da austerità moralistiche, ponendola in analogia col naturalismo. Non a caso poi il Borgese, che aveva teorizzato l'esigenza di « edificare »[18] il romanzo a tutto tondo e che pochi anni

[15] A. Campanile, *Stroncatura di Moravia*, in « Antieuropa », 15 novembre 1929.
[16] E. Rocca, in « Critica Fascista », 1 settembre 1929.
[17] G. A. Borgese, *Gli indifferenti*, « Corriere della Sera », 21 luglio 1929.
[18] G. A. Borgese, *Tempo di edificare*, Milano, Mondadori, 1923.

prima aveva sperimentato in sede narrativa nel *Rubè* una
struttura vigorosa e complessa su aspetti e problemi assai
vicini a quelli de *Gli indifferenti* (la classe dirigente tra
la prima guerra mondiale e il dopoguerra vista attraverso
l'inettitudine, la provvisorietà del protagonista), indivi-
duava il limite dell'opera di Moravia, là dove l'impianto
realistico cedeva all'analisi dell'indifferenza di Michele
o alla « disposizione eccitata e teatrale » insita nella fabula. Ora se l'accenno all'impostazione drammatica ritorna,
sempre come fatto accessorio e dequalificante, nella recen-
sione del Pancrazi[19] (« arrivi, partenze, incontri di personaggi, risolti con forse ironica banalità teatrale ») e se ritorna ancora il nome di Dostojevskij, importante appare
l'insistenza sui rapporti della scrittura moraviana, vista
nella sua « integrale oggettività », con la tecnica naturalista, che anche Solmi[20] sottolinea, considerando « la non
partecipazione dell'autore alla vita delle sue creature un
postulato del realismo dell'ultimo ottocento ».

Tuttavia va detto che l'etichetta di naturalista viene
assegnata subito a Moravia, ma con giudizio, prendendo
in un certo qual modo le distanze; infatti già Pancrazi opera una distinzione tra il taglio di personaggi quali Mariagrazia, Leo, Lisa, « di un naturalismo pesante, pedante,
piuttosto di stampo tedesco », e quello dell'indifferente Michele, mostrando però di preferire la prima parte del romanzo, dove ha piú spazio lo sviluppo drammatico, l'azione, alla seconda, in gran parte dedicata all'indagine analitica dell'individuo; al contrario Solmi vede il fondamen-
to ideologico del romanzo non tanto nel « naturalismo abilissimo, ma un po' insistito e greve », quanto nell'intuizione del tragico, perpetuo scarto tra immaginazione e
realtà che scaturisce dallo studio dell'interiorità del protagonista. Pertanto fin da questi primi interventi si pro-
filava la difficoltà di far convergere tutte le componenti del
romanzo in un filone ben definito come quello naturalista,
e si lasciava in fondo aperto il campo a valutazioni critiche diverse, come quella che vedeva ne *Gli indifferenti*
non il documento di certa corrotta società contemporanea,
ma il motivo esistenziale dell'alienazione, insito, come

[19] P. Pancrazi, *Gli indifferenti di Alberto Moravia*, in « Pegaso »
agosto 1929, anno I, n. 8.
[20] S. Solmi, *Gli indifferenti*, in « Convegno », dicembre 1929.

scrisse il Bocelli, « nella storia, vibrante d'un intenso lirismo, di uno spirito giovanile alla ricerca ansiosa di se
stesso, di qualcosa che lo affranchi dalla tediosa opacità
dei sensi ».[21]

Anni piú tardi un'ottica di questo tipo poteva valersi
di un'altra etichetta, l'esistenzialismo, come punto di riferimento culturale e infatti romanzo esistenzialista ante
litteram, il primo in Europa, l'unico in Italia, è *Gli indifferenti* per Dominique Fernandez,[22] dal momento che
il libro pone il problema della giustificazione morale del-
l'azione. Questa è la prospettiva giusta anche per Oreste
Del Buono: « ... possiamo considerare — e non si tratta
di un'eccentricità e neppure di una novità critica — *Gli
indifferenti* come il primo romanzo esistenzialista: *La nausée* e *L'étranger* sono venuti dieci anni dopo. Sartre e Camus erano filosoficamente consapevoli quando composero
i loro testi, Moravia, piú istintivo, no ».[23]

Un po' sulla stessa linea Barilli centra la sua attenzione sull'indifferenza di Michele e, accostandola alla malattia del secolo degli eroi di Pirandello, Svevo e Joyce, ovvero di quegli autori cui spettò « di rompere nel modo piú
energico con il naturalismo », situa Moravia a fianco di
Camus e di Sartre, nella seconda ondata di una narrativa
che, pur mantenendo immutata la problematica della sfasatura, dell'« estraneità », rispetto alla vita normale e borghese, riprende « una corposità quasi-naturalistica, e non
disdegna la trama, l'intreccio ».[24] Notiamo, in quest'ultima
notazione di Barilli, la volontà di tenere conto delle varie
componenti del romanzo moraviano, di storicizzare criticamente il suo oscillare da una struttura di tipo naturalistico a tematiche di tipo decadente o esistenzialistico.
Oscillazione variamente interpretata, che Jovine ad esempio risolveva, considerando anche la componente teatrale
del romanzo, con una collocazione tra simbolismo e veri-
smo (« Moravia ambisce a qualcosa di simbolico che davvero ci pare inconciliabile coi suoi propositi di narratore

[21] A. Bocelli, *La letteratura italiana nell'ultimo decennio*, in « Scuola
e cultura, Annali della istruzione media », settembre-novembre 1932.
[22] D. Fernandez, *Essai sur Alberto Moravia*, in *Le roman italien et
la crise de la conscience moderne*, Paris, 1958 (trad. it. Milano, Lerici,
1960).
[23] O. Del Buono, *Moravia*, Milano, Feltrinelli, 1962.
[24] R. Barilli, *op. cit.*

verista »),[25] e altri, tra cui il Pampaloni, con la proposta di
un naturalismo filtrato attraverso l'esperienza espressio-
nista, capace quindi di arrivare alla sintesi attraverso una
selezione di elementi molto rappresentativi, in quanto esasperati, gravati da una violenta carica espressiva.

Ora va detto che le indicazioni critiche esaminate fin
qui, e molte altre ancora, costituiscono degli agganci culturali plausibili e pertinenti, atti a mettere in evidenza
questo o quell'aspetto del romanzo; resta da vedere però
in che modo Moravia usufruisca di tali strumenti, come li
inglobi, riveduti e corretti, nella sua personalissima operazione letteraria. Per esempio già l'espressionismo de *Gli
indifferenti*, che si rintraccia in qualche squarcio di paesaggio e nella scelta degli aggettivi, risulta, come si os-
serverà meglio nell'analisi specifica del lessico, non tanto assimilabile al movimento che porta storicamente questo nome, quanto riconducibile alla tendenza saggistica,
esplicativa, plastica della sua narrazione, tesa a dare di
volta in volta integrale il senso della cosa rappresentata.

Quanto al « naturalismo » di Moravia, se molti si sono lasciati tentare da questo accostamento, i motivi non
mancano: l'analisi spietata e a prima vista asettica di una
certa società, la messa a fuoco di fatti e situazioni consi-
derati tradizionalmente tabù e particolarmente censura-
ti nel clima moralistico voluto e propagandato dal fascismo, e ancora, meno appariscenti ma più significativi, da
un lato, il recupero della vicenda drammatica e della psicologia del personaggio, all'interno di una struttura che
poteva anche apparire a tutto tondo dopo il frammentismo vociano e l'esperienza futurista, dall'altro, la scrittura asciutta, antiretorica, adeguata alla materia, in un ambito saturo di prosa d'arte, di influssi dannunziani, di programmi rondisti; connotati questi che facevano de *Gli indifferenti* uno dei fatti nuovi della narrativa italiana in
quell'estremo scorcio degli anni '20.

È chiaro poi che tutta l'opera, sottesa com'era dalla
volontà di far presa sulla realtà, di farne emergere un suo
nucleo certo, non alterabile, portandolo a chiarezza mediante l'identificazione e la messa a nudo delle sue coordi-

---

[25] F. Jovine, *Novelle di Moravia*, in « Italia letteraria », XI, 9, 2
marzo 1935.

nate piú elementari, il sesso e il denaro,[26] poteva assumere, in forza di tale portato anticonformistico, la funzione
di richiamo al realismo. Dove, per richiamo al realismo, si
intende, forse un po' genericamente, un « segno di protesta
e di denunzia », una « violenta accusa, la brutale rivelazione di una parte della società che non è piú quella postulata o vagheggiata dall'etica ufficiale »;[27] ché, per il
resto, il progetto de *Gli indifferenti* si diversifica in effetti dalle specifiche poetiche naturalistica e veristica e dal
realismo di stampo marxista cui è legata tanta parte della narrativa italiana degli anni trenta e quaranta, la produzione neorealistica etc. Infatti, ferma restando l'affinità
di Moravia con tali orientamenti culturali nella scelta della materia oggetto del romanzo e nell'ineliminabile rapporto con la realtà,[28] il testo stesso rimanda poi molte prove
del carattere autonomo e differenziato di un'opera come
Gli indifferenti che non si lascia totalmente incanalare, come si è già detto, in un filone precostituito, ma procede
captando premesse ideologiche o tecniche diverse, misce-
landole e rielaborandole, cautamente ma con sicurezza, in
un discorso piú personale e composito.

   Di un distacco dalla « tranche de vie » naturalistica di
cui parlava Solmi,[29] è già indicativo ad esempio il mutamento del titolo provvisorio, *Gli Ardengo, Lisa e Merumeci*, che, con l'identificazione dei personaggi, assolveva a
una funzione precisa di etichetta, alla stregua dei consueti titoli di tipo informativo (*Madame Bovary, Les Rougon-
Macquart, I Malavoglia*), in quello definitivo, astratto, pro-
blematico, che non introduce e prepara il lettore blanden-
dolo nella sua pigrizia, ma invece provocandone la curio-

   [26] Dice Moravia: « *Gli indifferenti* hanno tentato di esprimere in personaggi e situazioni esasperati l'urgenza della crisi nel rapporto tra l'uomo e la realtà, che, sino alla prima guerra mondiale, si era basato sulle
etiche tradizionali poi di colpo travolte. Si deve appunto a quest'urgenza
la mia attenzione al fatto sessuale che è uno dei modi piú primitivi e
meno alterabili di rapporto con la realtà e lo stesso va detto dell'attenzione al fatto economico, anch'esso primitivo e inalterabile in quanto
fondato sull'istinto di conservazione che l'uomo ha in comune con gli
animali ». (O. Del Buono, *op. cit.*, p. 25).
   [27] S. Battaglia, *La narrativa di Moravia e la defezione dalla realtà*,
in « Filologia e letteratura », VIII, Napoli, Loffredo, 1962, p. 114.
   [28] Dice Moravia a proposito de *Gli indifferenti*: « [...] se avessi cambiato ambienti e personaggi, avrei voltato le spalle alla realtà e fatto
opera d'artificio » (A. Moravia, *Ricordo de « Gli indifferenti »*, in *L'uomo come fine*, Milano, Bompiani, 1964, p. 65).
   [29] S. Solmi, *cit.*

sità. Cosí un titolo come *Gli indifferenti* non designa al-
cunché di positivo e di specifico e risulta per il fruitore un
po' come un'interrogazione la cui risposta richiede un tempo di apprendimento necessario, che coincide generalmente
con la lettura totale o parziale del libro. E la ricognizione sul testo fornisce anche gli elementi atti a scoprire
l'alone di ambiguità del titolo, che oscilla dall'accezione
etimologicamente consueta di *impassibilità, incapacità di
sentire*, nei casi in cui l'attributo si riferisce a Leo, al senso pregnante della parola tematica in quanto tale, spia di
una somma di motivi confluenti nello stato di incomunicabilità, di anomalia, di problematicità radicale e senza
uscita, che è condizione peculiare di Michele e della sorella Carla. La soluzione del problema insito nell'attributo dell'indifferenza rimanda dunque e accentra l'attenzione su un *disagio esistenziale*, che si fa fors'anche, per l'u-
so del plurale estensivo, condizione storica. Titoli siffatti
ne richiamano altri, *Senilità*, *La coscienza di Zeno*, *L'uomo senza qualità*, nell'ambito di quel romanzo decadente
di tipo analitico che, attraverso i vari Joyce, Musil, Svevo, aveva diagnosticato la crisi della borghesia europea,
negli anni precedenti e successivi alla prima guerra mondiale, riscontrandola nel fondo dell'inquietudine dell'individuo e portando cosí alla ribalta tutta una folla di personaggi devitalizzati, provvisori, la cui « malattia », fatta
di perplessità, di cronica tendenza all'introspezione, alla
progettazione, è sintomo e ragione della loro natura ano-
mala, della loro parte di spettatori chiaroveggenti e stra-
niati, all'interno della loro stessa società, della loro stessa
classe. Ora appare chiara la parentela, anzi la discendenza
di Michele, nella sua patologica indifferenza, nel continuo incolmabile scarto tra pensiero e azione, da questo tipo di personaggio « superfluo », e viene immediata la tentazione di ascrivere il primo romanzo di Moravia a quella
narrativa che considera il caos, il dramma sociale, attraverso la realtà individuale e l'indagine autobiografica. Ma
se ne *Gli indifferenti* la componente autobiografica si accampa indubbiamente nell'analisi dei personaggi, fissati in
quella loro disfatta passività d'esistenza, e soprattutto nel-
l'esplorazione psicologica degli indifferenti-consapevoli, Michele, in primo luogo, e Carla, al tempo stesso essa è in-
globata dall'autore in un'ambientazione che a tutta pri-

ma potrebbe apparire di matrice naturalistica, in una struttura architettonica del testo, calcolata in anticipo in base all'unità di tempo e di luogo della tragedia, struttura tesa al recupero dell'intreccio, dello sviluppo cronologico della vicenda, cui viene annesso perfino il « lieto fine ». Infatti Moravia vuole reagire all'ipertrofia del personaggio (che, tanto per fare un esempio clamoroso, aveva riscontrato nell'*Ulisse* di Joyce), e alla conseguente impossibilità di portare avanti una fabula nel romanzo; vuole occupare tutto l'orizzonte de *Gli indifferenti* con la vicenda drammatica, restringendola e condensandola nel tempo, nello spazio e nel numero dei protagonisti.[30]

Ad esempio Moravia costruisce intorno all'imbroglio una cornice accuratissima e le dà spazio, articolandola in una serie di interni e di rapidi squarci di cieli plumbei, di strade bagnate di pioggia, di giardini intricati di verde, colti prevalentemente dall'interno, attraverso i vetri appannati di una finestra o di un'automobile, secondo la consueta tecnica teatrale. Ma l'attenzione al particolare, la registrazione minuta, evidentissima ad esempio nella descrizione della porcellana cinese all'inizio del primo capitolo, non scopre intenti fotografici di pedissequa imitazione del vero, ha piuttosto tutti i connotati di ragguaglio della didascalia teatrale. In effetti il paesaggio dell'indifferenza è tutto intriso dell'artificiosità dei fondali scenografici, delle geometriche simmetrie di luci e di ombre, dove il gusto deformativo, espressionistico dell'autore risulta fortemente teso a schematizzare, tipicizzare, fino a scommettere col simbolico, come nel ritornare ossessivo del cielo grigio, della pioggia, dell'oscurità. La presenza di ogni oggetto è essenziale, significativa, fissa al suo posto, quello e non altro; immobile, soggiogata anch'essa dalla noia e dall'abitudine, si fa spia di un'indifferenza invadente, totale, oppressiva. Ma anche in questa corrispondenza ambiente-personaggio il rapporto naturalistico, gerarchicamente precostituito, tra « milieu » e individuo, viene stravolto e rovesciato in vista di un divenire continuo di spunti, di analogie, di sintesi, sicché alla fine è lo scenario a risultare irrimediabilmente compromesso col personaggio,

[30] E. Siciliano, *Moravia, op. cit.*, p. 40.

permeato della sua stessa ottica e della sua condizione esistenziale:

> « Piccolo ma angoscioso tragitto attraverso il corridoio; [...] e anche gli specchi ovali appesi alle pareti dovevano serbare la traccia delle loro facce e delle loro persone che piú volte al giorno da molti anni vi si riflettevano, [...] in quel corridoio l'abitudine e la noia stavano in agguato e trafiggevano l'anima di chi vi passava come se i muri stessi ne avessero esalato i velenosi spiriti; tutto era immutabile, il tappeto, la luce, gli specchi, la porta a vetri del vestibolo a sinistra, l'atrio oscuro della scala a destra, tutto era ripetizione [...] » (p. 25).

Tale descrizione del corridoio, permeato del veleno marcescente dei suoi « abitanti », funge da attacco al terzo capitolo, secondo il consueto schema di montaggio da copione teatrale che pone la didascalia all'inizio e alla conclusione della scena. Ora si osservi che la divisione in capitoli, siglata semplicemente dalla progressione numerica, a parte la coincidenza con il mutamento della scena, sistematica soprattutto nella prima parte del romanzo, non fa registrare sbalzi alla narrazione, la quale procede serrata in tutto il romanzo. Ma tale osservanza di un rigoroso criterio cronologico va riportata essenzialmente al progetto teatrale, all'esigenza di condensare il dramma rispettando l'unità di tempo; tanto è vero che la formula base del romanzo naturalistico, la quale ammette come narrabile solo la *realtà evidente dei fatti* nel suo sviluppo oggettivo, logico e cronologico, viene poi liquidata dalle continue pause create all'interno della vicenda, dall'inserimento degli squarci di meditazione, dei soliloqui di tutti i personaggi e in particolar modo di Michele. L'atto di vedersi ad esempio (anche se spesso reso plausibile e meccanico dalla presenza di uno specchio), di riflettere, di contemplare la possibilità di altri modi di approccio con la realtà, viene a funzionare, nella strategia del testo, come un « a parte » teatrale in atto nel momento in cui, fatto il buio su una scena a due o piú personaggi, l'attore si fa avanti a dare voce al suo pensiero. Ancora una volta dunque la dinamica del romanzo viene a coincidere con quella del copione; ancora una volta il testo accentra l'attenzione su un personaggio che ha piú la consapevolezza di recitare una parte, una delle tante possibili, piuttosto che quella di vivere una porzione di vita.

Come dice lo stesso Moravia, il suo progetto di tragedia, nella realizzazione, *si sposta dai dati esteriori* (seduzione di una figlia ad opera dell'amante della madre) a *quelli interiori di Michele* « personaggio impotente e rivoltato, che partecipa dell'insensibilità generale ma conserva abbastanza consapevolezza per soffrire di questa partecipazione ».[31]

Ora tale oscillazione o slittamento del romanzo dalla rappresentazione oggettiva della società borghese in dissoluzione all'analisi critica dello stato di alienazione dell'individuo in tale contesto, si riscontra nella struttura della pagina moraviana, che nasce dal montaggio di segmenti narrativi eterogenei:

a) la registrazione del narratore, che si articola nelle descrizioni-didascalie e nelle zone dedicate al racconto vero e proprio;

b) l'uso massiccio del dialogo di tipo mimetico, in linea con il progetto drammatico piú volte segnalato;

c) soliloqui interiori dei singoli personaggi.

Esaminiamo una pagina del II capitolo, che è campione funzionale a una rapida esemplificazione, per l'adiacenza e la brevità dei diversi segmenti, la cui natura risulta facilmente identificabile:

a) registrazione dell'autore segnata da proposizioni a struttura elementare e dall'andamento paratattico:

« La minestra era finita, Leo posò il cucchiaio [...] » (p. 18);

b) dialogo del personaggio-Leo, dal ritmo spezzato, familiare, interrotto dai punti di sospensione:

« "E del resto siete tutti malcontenti voi... non creda signora di esser la sola... vuol vedere?... Dunque, tu Carla, di' la verità, sei contenta tu?..." » (p. 18);

---

[31] A. Moravia, *Ricordo de «Gli indifferenti»*, *op. cit.*, p. 46.

a) ripresa della descrizione del narratore, segnata ancora dalla paratassi:

« La fanciulla alzò gii occhi: questo spirito gioviale e falsamente bonario inaspriva la sua impazienza [...] » (p. 18);

c) inserimento, senza alcuna introduzione di *verbum dicendi* o di congiunzione dichiarativa, del soliloquio interiore di Carla caratterizzato dall'uso dell'imperfetto:

« [...] ecco, ella sedeva alla tavola familiare, come tante altre sere; c'erano i soliti discorsi, le solite cose piú forti del tempo [...] e ciò nonostante Leo veniva a pungerla proprio dove tutta l'anima le doleva [...] » (pp. 18-19);

a) interferenza illustrativa dell'autore che segna l'interruzione del discorso indiretto libero, sancita nel modo piú canonico col passaggio dall'imperfetto al passato remoto, e ingloba la battuta di risposta di Carla:

« [...] ma si *trattenne*: "Infatti potrebbe andare meglio", *ammise*; e *riabbassò* la testa » (p. 19).

È chiaro a questo punto che nei segmenti-didascalia ovvero nelle zone di sua specifica pertinenza, l'autore vuole dare il senso di registrazione mimetica della realtà, di un ragguaglio asettico e puntuale (ma la prospettiva critica è presente; si accampa all'interno delle scelte lessicali); pertanto organizza il periodo secondo un andamento prevalentemente paratattico, in modo da presentare i fatti tutti sullo stesso piano, senza privilegi o subordinazioni.

Prendiamo ad esempio la didascalia su cui si chiude la scena nella sala da pranzo di casa Ardengo:

« Inghiottí l'ultimo spicchio, l'arancia era finita, Leo estrasse l'astuccio delle sigarette e ne offrí a tutti; il fumo azzurro salí sottile dalla tavola in disordine; per un istante stettero immobili guardandosi negli occhi, attoniti; poi la madre si alzò » (p. 24).

O l'altra, che descrive l'uscita di Leo e di Lisa:

« La fanciulla aprí la porta, una folata d'aria fredda entrò nel vestibolo, e quei due uscirono, disparvero » (p. 44).

Si rilegga l'introduzione scenica dell'arrivo della madre ignara nel vestibolo, mentre Carla e Merumeci sono nascosti e abbracciati, dietro le tende:

« L'uscio a vetri si aprí; Carla allargò un po' la tenda e guardò: nel quadro luminoso della porta aperta, la figura della madre, piena di ombre e di rilievi, esprimeva lo stupore e l'incomprensione [...] » (p. 41).

E rivediamo il paesaggio che si apre davanti agli occhi di Michele subito dopo la rivelazione della tresca tra la sorella e l'amante della madre:

« Egli si mosse ed andò alla finestra; il sole era scomparso, e una bassa, fitta cortina di nubi grigie stava sospesa sulla città. Lisa abitava al primo piano, ma la casa sorgeva sopra una specie di collina, e da quella parte un vasto panorama di tetti si stendeva davanti alla finestra; comignoli, tegole, terrazze, abbaini, poggiuoli, tutta la visione aveva sotto il cielo grigio un umido e uggioso colore tra giallo e marrone [...] » (pp. 292-293).

La paratassi compare spesso anche nei dialoghi, laddove l'autore vuole riprodurre l'andamento spezzato, frammentario, poco complesso, caratteristico del discorrere quotidiano degli indifferenti. Cosí per esempio Michele, con voce atona, nel trovare Leo in casa di Lisa:

« "Scusate [...] la colpa è tutta mia... avevo deciso di non venire mai piú e sono venuto... vi ho disturbati... scusate" » (p. 116).

E Leo, di rimando, con falsa bonarietà a Lisa:

« "Tornerà, non temere [...] lo conosco... non è di quelli che fanno le cose sul serio... tornerà, puoi star sicura" » (p. 117).

Oppure Carla a Leo:

« "Leo... è tardi... dobbiamo andare... alzati..." » (p. 210).

Si vedrà poi come lessicalmente i dialoghi dei personaggi siano segnati dall'uso di frasi fatte, di termini familiari, ulteriore spia della tendenza insita nel linguaggio di Moravia alla concretezza, all'adesione alla materia oggetto del testo.

A questa forza centripeta della scrittura riporta anche ne *Gli indifferenti* l'uso della frase nominale, presente, come si vede dagli esempi sottoindicati, nei segmenti di descrizione del narratore:

> « Si asciugò, sedette alla toletta; *breve acconciatura*; ella non usava pomate [...] » (p. 51).
> « *Un fruscío*; Lisa allargò gli occhi [...] » (p. 148).
> « *Un fruscío*; il braccio di Michele scivolò dietro la schiena della donna [...] » (p. 58).
> « [...] poi con una specie di gemito si accasciò con la testa in quel grembo; *oscurità* [...] » (p. 59).
> « [...] bruscamente l'afferrò; la rovesciò, le mise le mani addosso; *lotta*; *scricchiolii del letto*; *inutili contorcimenti* [...] » (p. 104).

Le frasi nominali sono frequenti anche nei soliloqui dei personaggi,[32] dove risultano, per il loro carattere atemporale e la rapidità del ritmo, funzionali a rappresentare la sequenza di immagini che si inseguono, si raggiungono, si mescolano « sullo schermo della fantasia ».

Cosí Mariagrazia si raffigura la rivale Lisa, finalmente distrutta dopo una fantomatica malattia:

> « [...] *un viso scarnito, degli occhi bianchi, una fronte incerta* [...] *il dito di Dio, la punizione del cielo* [...] » (p. 231).

E a Lisa il suo passato si condensa nella visione confusa di

> « *Notti insonni, faticosi piaceri, eccitamenti senza gioia* [...] » (pp. 51-52).

A proposito dei soliloqui dei personaggi va detto che essi non hanno mai l'andamento del flusso di coscienza

---

[32] Vedi E. Cane, *Il discorso indiretto libero negli Indifferenti di Moravia*, in « Sigma », 16 dicembre 1967, ora in *Il discorso indiretto libero nella narrativa italiana del '900*, Roma, Silva, 1969.

del monologo vero e proprio, ché il filo divagante dei pensieri viene di volta in volta tagliato dal punto fermo o dai frequentissimi punti di sospensione e organizzato nello schema sintattico e grammaticale consueto del discorso indiretto libero, che prevede la soppressione del *verbum dicendi* e della congiunzione dichiarativa, l'uso dell'imperfetto e del condizionale (sostitutivo del futuro, usato nel discorso diretto), cui si aggiungono le interrogative, gli infiniti narrativi e, come si è già detto, le frasi nominali; canonica è anche la trasposizione di pronomi, aggettivi, avverbi, forme discorsive, etc. Questo dal punto di vista formale; quanto poi al piano ideologico, il soliloquio, che per la sua stessa natura rifiuta la coralità, si inserisce perfettamente nel discorso moraviano, come strumento di diagnosi critica della marcescente società borghese negli anni del fascismo, attraverso l'analisi dello stato di alienazione dei singoli individui che la costituiscono. Del resto la frequenza stessa dei soliloqui è indicativa della condizione di solitudine, di incomunicabilità del personaggio, che si perde tutto nella prospettiva della fantasticheria, della progettazione, del sezionamento della realtà, senza poi entrare in diretto contatto con essa. In ragione di questo rapporto « proporzionale » tra pensiero e azione, mentre i discorsi indiretti liberi di Michele sono di gran lunga i piú numerosi e significativi e tendono, nella parte conclusiva del romanzo, ad occupare zone sempre piú vaste del tessuto narrativo (è famoso il lunghissimo soliloquio del ragazzo mentre si sta recando da Leo per ucciderlo, in cui sembra esaurirsi tutta la sua già problematica foga e il suo rancore), quelli di Leo sono rarissimi e assai brevi, tesi semplicemente ad evidenziare la rapidità balenante delle sue decisioni. Si veda ad esempio come, in questo squarcio di riflessione, il susseguirsi delle frasi nominali, spezzate, brevi e brevissime, scandisca il ritmo perentorio di un programma che è già quasi in atto:

« Osservò la fanciulla impercettibilmente, senza voltar la testa; *sensuale; piú di sua madre, labbra rosse, carnose; certo disposta a cedere; dopo cena bisognava tentare; battere il ferro finché è caldo; il giorno dopo no* » (p. 23).

O ancora come il discorso indiretto libero serva a esprimere sinteticamente le alternative passate in rassegna:

« [...] egli esitò cercando invano nel suo furore un'espiazione degna della colpa di Lisa: *sfasciarle qualche mobile o qualche porcellana? schiaffeggiarla?* » (pp. 114-115).

Ma fondamentale resta nel discorso indiretto libero la possibilità di una ironizzazione critica della materia oggetto del romanzo, senza intaccare la plasticità delle immagini e l'effetto di drammaticità. Come il testo aveva scoperto nelle meditazioni di Lisa sull'amore di Michele tutto il ridicolo della sua ipocrisia sentimentale, cosí le fantasticherie di Carla sulle sorti future della signora Merumeci, diagramma della fase conclusiva di un doloroso adattamento, rivelano quanto di indulgenza nei confronti dei luoghi comuni, delle banalità dell'ambiente, giochi nel definitivo fallimento della sua ribellione:

« Avrebbe sposato Leo... vita in comune, dormire insieme, mangiare insieme, uscire insieme, viaggi, sofferenze, gioie... avrebbero avuto una bella casa, un bell'appartamento in un quartiere elegante della città... qualcheduno entra nel salotto arredato con lusso e buon gusto, è una signora sua amica, ella le viene incontro... prendono il tè insieme, poi escono; la sua macchina le aspetta alla porta; salgono; partono... Ella si sarebbe chiamata signora, signora Merumeci, strano, signora Merumeci... Le pareva di vedersi, un po' piú alta, piú grande, le gambe ingrossate, i fianchi piú larghi, il matrimonio ingrassa, dei gioielli al collo e sulle dita, ai polsi; piú dura, piú fredda, splendida ma fredda, come se avesse avuto, là, dietro quei suoi occhi rigidi, un segreto, e per conservarlo nascosto, avesse ucciso nella sua anima ogni sentimento. Cosí atteggiata, vestita elegantemente, eccola entrare nella sala affollata di un albergo; suo marito la segue, Leo, un po' piú calvo, un po' piú grasso, ma non molto cambiato; si seggono, prendono il tè, ballano, molti la guardano e pensano: "Bella, donna bella ma cattiva... non sorride mai... ha gli occhi duri... sembra una statua...

chissà a che cosa pensa". Altri in piedi, laggiú presso le colonne della sala, mormorano tra di loro:
"Ha sposato l'amico di sua madre... un uomo piú
vecchio di lei... non lo ama e certamente deve avere un amante". Tutti mormorano, pensano, la guardano; ella sta seduta accanto a quel suo marito,
tiene le ginocchia accavalciate, fuma... effetto di
gambe, il vestito è succinto, la scollatura è profonda [...] » (pp. 343-344).

Dove il pensiero, con l'andamento turbinoso, che è riprodotto mediante il semplice allineamento paratattico di
una lunga serie di proposizioni, considera dapprima il matrimonio con Leo e la serie di atti, di abitudini ad esso
inerenti con annoiata incredulità, con un certo distacco,
siglati dall'uso del condizionale, per dare poi, con il passaggio del verbo al presente, la rappresentazione scenica di
questa nuova condizione, colta, con malcelato compiacimento, nei particolari esteriori di lusso, di eleganza, di
ricchezza, nelle pratiche sancite dalla vita borghese (il tè,
la sala da ballo, etc.). In particolare la serie dei luoghi
comuni, delle velleità mondane, si accampa nelle segrete
fantasticherie di Mariagrazia, che pone come sfondo ideale
al suo « film dell'impossibile »

> « una sera di ricevimento [...] l'orchestra fragorosa
> [...] le porte dorate dei suoi saloni [...] i lampada-
> ri accesi [...] » (p. 231)

e finanche

> « una colossale automobile, otto cilindri, cofano ni-
> chelato, due chauffeurs, tutta foderata di raso » (p.
> 232)

dove l'autore evidenzia ancora una volta la meschinità pic-
colo-borghese di questa figura di madre, sottolineando iro-
nicamente dall'interno, mediante l'adozione di un lessico
tipico, la sua mentalità da romanzo d'appendice:

> « [...] era il momento culminante, quando [...] le
> passioni si accendono, i fiori appassiscono, e nelle
> orecchie delle dame vengono mormorate galanti di-
> chiarazioni... » (p. 231).

In generale però nel romanzo Moravia fa uso di una lingua media, in apparenza incolore, priva di qualsiasi genere di contaminazione o di « pastiche »; lingua che, per tali connotati, è sembrata aliena da intenti di imitazione realistica del parlato dei personaggi e da caratterizzazioni sociologico-espressive.[33] In realtà nel progetto moraviano di una struttura di tipo teatrale era già insita la possibilità di trascendere la parola come nucleo di tensione e di puntare invece per tutti gli effetti ideologici e poetici del testo sull'imbroglio, sul montaggio delle situazioni. D'altra parte togliere spessore alla parola in quanto tale, significa usare come mezzo di espressione un insieme di elementi lessicali che non incidano in profondità ma galleggino in superficie, tutti sullo stesso piano, in modo che nessuno divenga insostituibile di per sé, acquistando peso e pregnanza subordinante rispetto alla situazione o alle altre componenti del contesto; significa adottare in effetti un linguaggio omologo alla realtà da rappresentare, alla società borghese in fase di avanzata dissoluzione, dove, per l'assenza di univoci punti di riferimento e per l'anarchia dei valori, non è più data possibilità di giudizio, di discernimento tra ciò che è necessario e ciò che è insignificante. Insomma l'autore, per analizzare quello strato della società-bene in cui vive, dà credito o fa finta di dar credito a quella lingua, tendenzialmente asettica, alla quale lui per primo non crede, ma di cui pure i suoi indifferenti sono permeati all'atto stesso della nascita. Parole forti, severe, altisonanti, tradizionalmente legate a determinati valori, non hanno più senso né ragion d'essere in tale contesto; così parole « virtuose e familiari » acquistano netto, in bocca all'indifferente Michele, il suono della improbabilità:

« "[...] io sono il fratello oltraggiato dall'amante di sua madre nell'onore di sua sorella" (tutte queste *parole virtuose e familiari* gli facevano un *ridicolo effetto come se fossero state arcaiche*) [...] » (p. 291).

Peraltro le parole forti che appaiono impronunciabili e impensabili al ragazzo, trovano posto nelle arringhe del

---

[33] E. Cane, *cit.*, p. 53.

pubblico accusatore e dell'avvocato, chiamati, nel soliloquio di Michele precedente « l'uccisione » di Leo, a occuparsi dell'ipotetico caso Ardengo:

> « [...] *donnaccia* senza pudore la madre, *profittatore e incestuoso* Leo, femmina pettegola e di *facili costumi* Lisa; *vittime* loro due, lui e Carla, figli di un alcoolizzato [...] cresciuti *senza l'amore dei genitori, senza religione, senza morale* » (p. 315).

Cosí le voglie di Leo sono per l'avvocato difensore « immonde » e Michele è colui che ha

> « vendicato l'onore oltraggiato e calpestato della propria famiglia » (p. 315)

ancora è solo il giudice che può dare a chiare lettere la lapidaria definizione sul tempo degli indifferenti, presentando Carla come

> « [...] sciagurata figura del *nostro tempo corrotto* » (p. 314)

giudizio che con evidenza si accampa dalla prima all'ultima pagina del testo, ma rimanendo sempre all'interno della rappresentazione.

E se qui le etichette perentorie, le frasi fatte, l'assenza di sfumature, il tono fosco, trovano una ragion d'essere in una norma che intende proteggere valori canonizzati, quali la famiglia, la morale, la religione, pure suonano falsi, stereotipi, come strumenti tradizionalmente tesi a fare presa sull'ascoltatore, ma che, ormai sfranti dall'uso, non funzionano piú. Comunque gli esempi di arringhe, cui si è sopra accennato, sono già una spia dell'adesione realistica e ironica dell'autore alla sua materia sul piano del linguaggio. L'uso di un lessico quotidiano, corretto, privo di scarti, di interferenze dialettali, si adatta perfettamente ad una classe sociale da tempo linguisticamente italianizzata. La presenza, peraltro assai rara, di termini o espressioni straniere (francesi e inglesi), entrate nell'uso comune, non fa che confermare l'ovvietà del linguaggio impiegato, accentuando la localizzazione pseudo-culturale dell'ambiente rappresentato:

« "hanno anticipato il *vernissage*[34] della sua mostra personale" » (p. 130).
« "*All right*" rispose Leo » (p. 262);
« "qualche *cocotte* d'infimo ordine" » (p. 131);
« la sonante porta a vetri del *boudoir* » (p. 109);
« lo scenario banale ed elegante di qualche *cottage* sepolto sotto il fogliame » (p. 234);
« "*loin de toi, loin de ton coeur*" » (p. 98).

E frasi fatte, espressioni stereotipe ricorrono qua e là nelle chiacchiere da salotto di Mariagrazia e anche di Lisa:

« "*Neppure per sogno*" protestò la madre » (p. 33);
« "Oh" fece Lisa [...] "non vorrei *per tutto l'oro del mondo*" » (p. 33);
« "Caro lei, *le bugie hanno le gambe corte*" » (p. 130);
« "si ha un bel dirle" » (p. 78);
« Ma perché [...] inventare *un monte di frottole?* » (p. 155).

Anche nei discorsi di Leo si inseriscono spesso forme del parlato, vieti giochi di parole, detti, perfino un motto popolare:

« "è *furba come una volpe*" » (p. 110);
« "Lisa [...] ti accoglierà *a braccia aperte*" » (p. 120);
« "non ti costerà *un soldo*" » (p. 119);
« "Veramente non ho invitato *un corno*" » (p. 123);
« "*Io non voglio il tè... voglio te...*" » (p. 124);
« "*In vino veritas*" » (p. 92);
« "*Mea culpa*, dovrei dire" » (p. 105);
« "*Tale la madre... tale la figlia...*" » (p. 192);
« "lei sa l'adagio: *Mesci il bicchier ch'è vuoto, vuota il bicchier ch'è pieno, non lo lasciar mai vuoto, non lo lasciar mai pieno*" » (p. 92);
« "*Che il diavolo se la porti*" pensava (p. 23).

Queste formule esaurite e stanche, le osservazioni vuote di significato, che riproducono lo stile ideologico e il li-

---

[34] Si sa che il termine *vernissage*, come anche *chauffeur* (presente nel testo - p. 232), venne italianizzato (vernice, autista) dal fascismo, in linea con il suo rifiuto di ogni esotismo linguistico.

vello culturale dell'ambiente, caratterizzano quasi unica-
mente gli spazi, assai vasti, dedicati al dialogo, adden-
sandosi soprattutto, come già si è visto, nei discorsi pieni
di dignità e di « buon senso » della madre e nelle battute,
tra il volgare e lo spiritoso, sempre di assai basso livello,
del Merumeci. Non bisogna dimenticare *l'ignoranza* di Leo
che si « è sempre annoiato a morte » vedendo le com-
medie di Pirandello e che si sente molto soddisfatto di una
sua allusione a Socrate:

> « " [...] ma prima di tutto pregherei Michele di non
> fare quella faccia da condannato a morte: non è ci-
> cuta, è champagne" » (p. 89).

Neanche Michele si salva dalle ovvietà insite nello strumento di comunicazione della sua classe, ma nel suo caso (come per Carla), le espressioni piú usuali sono assai
rare e talvolta riscattate da un velo di ironia:

> « "Mi tacerò, madre [...] non dubitare... sarò *muto
> come un pesce* [...]" » (p. 79).

E altrove:

> « [...] questo mondo deforme, falso da *allegare i den-
> ti* [...] » (p. 237).

Se dunque la fraseologia piú quotidiana, colloquiale,
insulsa, si coglie nei dialoghi, com'è logico, dal momento
che i discorsi diretti dei personaggi non costituiscono tanto una forma contratta di narrazione, ma servono una vera e propria vis drammatica, con una differenziazione quan-
titativa e qualitativa dei protagonisti, che trova nel linguaggio la spia della piú massiccia integrazione dei tre rispetto a Carla e a Michele, un lessico di tipo medio, regolare, permane anche nelle parti dedicate al racconto, ovvero nelle zone di stretta pertinenza dell'autore in quanto
tale, salvo qualche recupero di colore o la resa alla suggestione di una immagine.

Si veda il pedissequo controcanto del manzoniano « Addio ai monti » nella descrizione di Carla che lascia di notte la propria casa per recarsi da Leo:

> « Addio strade, quartiere deserto percorso dalla piog-
> gia come da un esercito, ville addormentate nei lo-

ro giardini umidi, lunghi viali alberati, e parchi in tumulto; addio quartiere alto e ricco: immobile al suo posto al fianco di Leo, Carla guardava con stupore la pioggia violenta lacrimare sul parabrise e in questi fiotti intermittenti colar disciolte sul vetro tutte le luci della città, girandole e fanali. Le strade si seguivano alle strade [...] » (pp. 183-184).

Ebbene questo calco manzoniano, cosí preciso, costituisce, nell'ambito del testo, un'eccezione, ché, per il resto, il modello de *I promessi sposi*, a differenza di quanto accadrà nel successivo romanzo di Moravia, *Le ambizioni sbagliate*, non si accampa con invadenza, ma viene ricordato qua e là da qualche ritmo, dall'impiego costante delle similitudini, etc. Altro luogo del testo in cui riecheggia una suggestione letteraria, questa volta pariniana, è nelle riflessioni di compiaciuto distacco, di estraneità di Mariagrazia nei confronti della folla « plebea » che cammina sotto la pioggia; ma in linea generale va detto che qualche scheggia linguistica, qualche ritmo noto vengono fuori chiamati in causa per un'analogia di situazioni o di personaggi e non certo riesumati come pezzi di bravura, come tessere preziose, con intenti da prosatore d'arte.[35] In questo il problema linguistico moraviano era stato centrato già da Borgese quando, nel suo articolo del '29, definiva la prosa de *Gli indifferenti* « un'arte di scrittura molto bella, perché depurata di ogni belluria, giusto il contrario del vescicante calligrafico », e soprattutto laddove aggiungeva: « Qui la parola non spicca per conto suo nella frase; la frase non molleggia le anche; [...] può essere che la sua trasparenza sia un po' neutra, che il suo vocabolario resti un po' generico, come una sorta di conversare cosmopolita trascritto in chiave di corretto italiano, ma l'effetto complessivo, non ostante questa tinta pallida, è di sanità, di vigore ».[36] E il vigore nasce dall'intenzione dominante di fare presa sulla realtà, e fare presa sulla realtà significa non accontentarsi di una puntuale registrazione delle apparenze, di una fotocopia naturalistica, in vista di un'analisi attenta e minuta, ma anche critica e deformante,

[35] A. Limentani, *Alberto Moravia tra esistenza e realtà*, Venezia, Neri Pozza, 1962, p. 25.
[36] G. A. Borgese, *cit.*

della materia oggetto del testo, a tutto vantaggio di una sua maggiore tangibilità. Si veda ad esempio l'attacco del capitolo XVI, con quella didascalia sulla pioggia, che è nota atmosferica dominante, ossessiva, nel paesaggio dell'indifferenza:

> « Quando furono sulla soglia del portone si accorsero che pioveva dirottamente; senza violenza, ma con una *sciatta* abbondanza *come da un catino sfondato*; un gran fruscío torrenziale empiva l'oscurità; un livido velo d'acqua ribolliva sul lastrico della strada; grondaie, stillicidi, rigagnoli, la grossa pioggia vecchia di due settimane di tempo sfogava da ogni parte il suo fiotto impuro fermentato a lungo nei *fianchi delle nubi*; sotto il diluvio le case stavano dritte e nere; i fanali *affogavano*; marciapiedi inondati assumevano *l'aspetto anfibio delle banchine per metà sommerse*, nei porti di mare » (p. 337).

Dove l'aggettivo « sciatta » qualifica e definisce criticamente l'abbondanza della pioggia, che viene subito dopo paragonata a un « catino sfondato », similitudine questa che toglie genericità alla descrizione, riesce ad accentuare la carica negativa, il senso di desolazione, insiti già nello « sciatta », ma al tempo stesso dà corpo all'immagine, finora definita con sostantivi astratti (violenza, abbondanza). Ancora l'esigenza di concretezza si può verificare in quello scaturire della pioggia dai « fianchi delle nubi », immagine umana che fa di quel « fiotto impuro » qualcosa di ancor piú corposo e putrescente. Questo rimandare continuamente ad altro (i marciapiedi inondati come « anfibie banchine », i fanali che « affogano » come animali o persone) è percorso da un'intenzione critica, e da un'esigenza metaforica, la quale si pone, in maniera statisticamente significativa, nella direzione astratto-concreto, tendendo a recuperare il maggior numero possibile di punti di riferimento atti ad accrescere la comprensibilità, la visività, il senso dell'oggetto o della situazione rappresentata. Ovvero l'uso della metafora è quello, frequentissimo, del paragone, sono sottesi da un'ansia quasi saggistica di comunicare, di spiegare, di eliminare i vuoti o i punti oscuri, di portare a chiarezza fatti o impressioni, senza per

questo scendere in profondità, acquistare spessore alla materia e a un linguaggio che non ne ha piú di tanto; ri-
conducendoli invece nel novero dei fenomeni naturali, co-
gliendone le analogie con oggetti tangibili, banali, con
esperienze della vita comune. Cosí « una rada e polverosa
oscurità » è forata « come un setaccio »; cosí lo stato d'a-
nimo di Carla viene visualizzato mediante l'accostamento
a un oggetto concreto, a una situazione reale:

> « [...] e si sentiva cadere in questo suo esitante ab-
> bandono *come una piuma in una tromba di scale* »
> (p. 39);
> « [...] ora lo scherzo le diveniva doloroso, le si affon-
> dava *come una spina* in quell'impazienza che la pos-
> sedeva » (p. 43).

Altrove è un'immagine-metafora a dare corpo al disgusto della ragazza, ora impaziente ora disperato:

> « [...] aveva l'impressione che la marea angosciosa
> dei piccoli avvenimenti di quella giornata stesse per
> traboccare e per sommergere la sua pazienza » (p.
> 35);
> « Da quell'ombra, laggiú, che riempiva l'altra metà
> del salotto, l'onda morta del rancore si mosse, sci-
> volò contro il petto di Carla, disparve, nera e senza
> schiuma; ella restò cogli occhi spalancati, senza re-
> spiro, resa muta da questo passaggio di odio » (p. 7)

dove il rancore si solidifica e prende forma nella gigan-
tesca visione dell'onda; ancora l'equivalenza di stati d'animo con fenomeni naturali, fisici, ritorna a proposito di
Leo, ma assumendo toni meno enfatici e grandiosi, piú banali e consueti:

> « [...] e queste rapide idee erano *come lucidi lam-
> pi* nella *tempesta della sua libidine* » (p. 8);
> « [...] quel riso non era stato che il *lampo livido* che
> precede lo scoppio del fulmine » (p. 34).

L'indifferenza di Michele, nei confronti di una questione vitale come la rovina economica della famiglia, viene puntualmente posta in analogia con l'impotenza, l'im-

mobile abulia di chi resta spettatore di fronte al pericolo di vita di un altro essere:

« "Vediamo" pensava "si tratta della nostra esistenza... potremmo da un momento all'altro non avere di che vivere materialmente", ma per quanti sforzi facesse questa rovina gli restava estranea; era *come vedere qualcheduno affogare*, guardare e non muovere un dito » (p. 28).

Ancora il ragazzo, nell'oscillare di una reazione che, dinanzi alla prospettiva di raccomandazioni, di aiuti da parte di Leo, va dalla diffidenza al compiacimento, è paragonato a una donna facile che cede ai piú elementari tentativi di seduzione:

« [...] la sua diffidenza cedeva a queste seduzioni come *una donna facile che si sente pizzicare i fianchi e il petto*, cedeva con un sorriso di compiacimento » (p. 237).

Si noti all'interno delle immagini sopra riportate la ricerca di rendere tangibile la materia rappresentata, spesso evidenziandone al massimo i connotati, operazione che in alcuni casi, come in quello di Carla, tende ad acquisire al tessuto narrativo l'effetto di drammaticità, mentre in altri, ad esempio nel paragone tra Michele e la prostituta, mira, all'opposto, al ridimensionamento critico del personaggio, attraverso un congegno di quel complesso meccanismo che fa del ragazzo Ardengo non tanto l'eroe *miraculeusement élu* in uno squallido contesto, non il protagonista tradizionale, ma il giovane borghese con aspirazioni « intellettuali », con i suoi conflitti, la sua chiaroveggenza straniante, ma anche con le inevitabili aderenze alla società di cui lui stesso è parte integrante. Ancora la messa a fuoco di un atteggiamento, mediante un paragone sproporzionato, enfatico rispetto allo spessore della materia, provoca per contrasto un effetto comico, ridicolizzante. È il caso del volto misticamente atteggiato della madre nel riferire i « sentimenti » di Leo verso Michele:

« "So bene mi diceva" e qui la madre prese un viso compunto *come se avesse recitato una pre-*

ghiera: "che Michele non mi ama molto, ma non importa [...]" » (p. 237).

Altrove i paragoni, le immagini metaforiche, hanno solo funzione descrittiva, in omologia a una specifica realtà, come ad esempio nel discorso indiretto libero di Lisa, dove questi elementi sono in linea con la dimensione tutta banalità e luoghi comuni del personaggio:

« "Michele [...] l'avrebbe rispettata *come una dea* [...]" » (p. 52);
« " [...] non vedeva l'ora di bere a questa fontana di giovinezza [...]" » (p. 52).

Ancora un paragone banale per dare l'idea dell'atteggiamento furtivo di Leo e Carla:

« [...] uscirono entrambi, *come due ladri*, dal loro nascondiglio [...] » (p. 43)

laddove, nella convenzionalità delle immagini, non è esente una sfumatura ironico-critica dell'autore. A questa sfumatura ironico-critica che coglie gli scarti, la drammaticità del quotidiano, sotto la levigata, conformistica superficie, ci riporta, assai significativamente, l'aggettivazione de *Gli indifferenti*.[37] Che l'aggettivo sia un rilevatore importante della tecnica descrittiva di Moravia, lo si deduce intanto statisticamente dalla frequenza con cui compare nel testo e poi dalla sua sede, che in generale, e specialmente nel caso dei gruppi, è costituita dai segmenti riservati alle didascalie, al racconto, ovvero alla voce dell'autore, piuttosto che ai discorsi diretti dei personaggi. Inoltre tutti gli aggettivi, visti nel contesto, non appaiono come elementi accessori del sostantivo, ma piuttosto come aggiunte succinte e decisive, tese a *completare* e a *modificare* il significato sostantivale, in una direzione che risente da vicino del giudizio dell'autore. Va detto infatti che, se il testo rimanda solo in rarissime occasioni commenti diretti del narratore (i quali comunque non assumono l'assetto di interferenze, ma anzi si pongono in linea con gli altri seg-

---

[37] Per un'analisi dettagliata sull'aggettivazione ne *Gli indifferenti*, vedi A. Schettino, *Polivalenza e funzione critica dell'aggettivo* ne *Gli indifferenti*, in « Forum Italicum », III, n. 3, 1969.

menti, in modo tale che il lettore distratto non li indivi-
dua), il suo giudizio tuttavia si accampa all'interno del
tessuto narrativo, secondo un progetto che assegna all'aggettivo un ruolo non solo qualificativo, ma anche evoca-
tivo, drammatico, ironico-critico. Ora anche per gli attributi vale il discorso fatto in generale per il tono medio,
quotidiano del linguaggio di Moravia (gli aggettivi usati
sono generalmente di accezione comune e di grado positivo), ma bisogna ricordare che alla loro selezione presie-
de, come già nel caso delle metafore, l'intento di dare la
massima funzionalità alla parola stessa, al di là dell'effetto immediato, nel senso di una resa plastica della realtà
che l'autore sta rappresentando, di una sua condensazione
e tipicizzazione, già inerente del resto alla prospettiva di
tipo teatrale. Ma, a parte queste notazioni generali sulla
frequenza e sulla natura dell'aggettivazione, il testo, ana-
lizzato piú da vicino, presenta aggettivi singoli, o in gruppi
di due, di tre, raramente di quattro. L'aggettivo singolo è
frequentissimo; varia risulta la sua posizione rispetto al
sostantivo e la sua funzione nel contesto:

a) funzione semplicemente illustrativa:

« un vestitino di lanetta *marrone* » (p. 5);
« un pezzo di tetto *rossiccio* » (p. 50);
« sotto la pioggia *diagonale* » (p. 135);
« questa strada *piovosa* » (p. 135);
« toccò la stufa che era *calda* » (p. 197);
« le *larghe* screpolature del soffitto » (p. 52).

In questo ambito la scelta dell'aggettivo risponde spesso a un criterio impressionistico:

« Sotto il lampadario a tre braccia il blocco *bianco*
della tavola scintillava [...] c'erano delle macchie, il
vino era *rosso*, il pane *marrone*, una minestra *verde*
fumava dal fondo delle scodelle [...] » (p. 17).

b) funzione descrittiva + carica evocativa = tipicizzazione, drammatizzazione della materia.

Anche nella prima descrizione di casa Ardengo, in apertura del romanzo, l'oscurità del salotto non è definita in
termini quantitativi (scarsa, parziale, etc.), ma con una
connotazione di tipo impressionistico:

« [...] un'oscurità *grigia* avvolgeva il resto del salotto » (p. 5).

laddove « grigia » contempla la funzione illustrativa ma la
oltrepassa; per la sua posizione terminale nel gruppo so-
stantivo-aggettivo è probabilmente destinato a rimanere
impresso nella memoria del lettore fin da questa prima
apparizione; successivamente la carica evocativa di tale
definizione si precisa nella sua insistente iterazione, che è
strumento su cui il testo punta per condensare, tipicizzare
l'atmosfera dell'indifferenza:

« il cielo era *grigio* » (p. 50);
« cielo *grigio* che si distingueva tra i rami » (p. 101);
« una bassa, fitta cortina di nubi *grigie* stava sospesa
sulla città » (p. 293);
« tutta la visione aveva sotto il cielo *grigio* un umido e uggioso colore » (p. 293);
« una stanzetta *grigia* » (p. 50);
« un materasso *bigio* » (p. 103).

Allo stesso fine risponde l'uso sistematico di una serie di aggettivi che, pur non appartenendo tutti alla stessa
gamma, rimandano uno stesso senso di monotonia ossessiva, dando consistenza drammatica allo sfondo cupo, chiuso, senza spiragli e senza colore, che è emblematico del
romanzo:

« l'atrio *oscuro* » (p. 25);
« l'atrio era *buio* » (p. 183);
« l'altra rampa [...] quasi del tutto *oscura* » (pp.
182-183);
« *rada e polverosa* oscurità » (p. 49);
« un'ombra *umida* empiva gli angoli » (p. 50);
« sotto la vôlta dei rami, nel viale *chiuso* e *umido*
che accompagnava il muro di cinta » (p. 101);
« tutto, mobili e quadri, si confondeva in una sola
ombra *nera* » (p. 17);
« uno spesso strato di foglie *nere* e *fradice* » (p. 101);
« la ghiaia *fradicia* » (p. 183);
« l'aria [...] era *immobile* e *soffocante* » (p. 107);
« l'aria era *fredda* e *nebbiosa* » (p. 345);

« un'ombra *umida* di caverna aveva invaso il salotto » (p. 329);
« nei [...] giardini *umidi* » (p. 183);
« la notte era *nera* e *umida* » (p. 183);
« delle *nere* facciate si staccavano nella notte, passavano, e si dileguavano [...]; gruppi *neri* di persone » (p. 184);
« giardinetto *buio* e *bagnato* » (p. 185);
« sul fondo *cupo* del divano » (p. 188);
« tende di velluto *cupo* » (p. 26).

c) funzione descrittiva + connotazione critica.
Si veda ad esempio nella prima descrizione di Leo:

« Curvo, seduto sul divano, egli osservava la fanciulla con una attenzione *avida* » (p. 6)

come l'aggettivo *avida*, posposto al sostantivo, di colorazione neutra, lo qualifichi e gli dia tono, caricandolo del giudizio negativo dell'autore e acquistando in tal modo un notevole spazio autonomo rispetto ai limiti usuali (con un'avida attenzione o con avida attenzione). Altrettanto evidente la carica critica si accampa all'interno di questi altri primi piani di Leo:

« Una *grossolana* malizia splendette sul volto rosso ed eccitato dell'uomo [...] » (p. 42);
« "Ma no", protestò Leo posando su Lisa, tra il fumo del suo sigaro, uno sguardo *mistificatore* [...] » (p. 33).

Altrove l'annotazione critica nasce dallo scarto tra l'enfasi della qualificazione e la precarietà della materia o, viceversa, dal contrasto, dal ridimensionamento ironico del sostantivo di tono alto da parte dell'aggettivo. È il caso, quest'ultimo, di un rapido ma fondamentale discorso indiretto libero di Carla, in cui le ragioni della sua rassegnata accettazione delle profferte di Leo risultano profondamente mediate dalla considerazione che la virtú

« [...] l'avrebbe rigettata in braccio alla noia e al *meschino* disgusto delle abitudini » (p. 8)

dove « meschino », con la sua posizione centrale tra i due

sostantivi, ridimensiona fortemente e contamina il senso
del secondo, togliendo l'aura di tragicità al dramma di
Carla e riconducendolo entro i limiti gretti e piccolo-bor-
ghesi dell'ambiente in cui si svolge.

Piú accentuata la carica critica, piú decisa la matrice
di provenienza (facilmente identificabile, all'interno di un
soliloquio del personaggio, come commento dell'autore
anche per il tempo storico del verbo) nell'aggettivo « teatrale » scelto per definire l'atteggiamento, il tono di Carla:

« "È quello che finirò per fare" ella disse con una
certa *teatrale* decisione » (p. 7).

Alla tipizzazione ironico-critica ottenuta mediante l'uso
di aggettivi (e sostantivi) di tono alto, in netta sproporzio-
ne con la reale entità del personaggio, l'autore fa ricorso
sistematicamente nel descrivere Mariagrazia:

« [...] la madre considerava con una *mesta dignità*
le sue mani dalle unghie smaltate [...] » (p. 26);
« Sedette, assunse un aspetto di *triste dignità* e cogli occhi bassi rimescolò col cucchiaio la minestra, af-
finché si freddasse » (p. 18);
« "E invece lo festeggeremo" rispose la madre, *solenne* [...] » (p. 23).

Tali qualificazioni dell'atteggiamento della madre evo-
cano un carattere di grandiosità immediatamente smentito
e ridicolizzato dalla situazione quotidiana, irrilevante cui
si riferiscono. Da questo scarto tra la solennità, la teatra-
lità dell'apparenza e l'insicurezza, la meschinità, la *mancanza di dignità*, di autocritica, in cui si sostanzia la personalità della madre, nasce l'effetto comico, proprio come
pirandelliano « avvertimento del contrario ». Ancora la
ripetizione ossessiva degli stessi aggettivi per gli stessi
personaggi, tipica della tecnica descrittiva di Moravia e
soprattutto della sua esigenza drammatica di fissare le
parti della commedia, si riscontra, particolarmente evidente, nelle descrizioni di Mariagrazia che si cristallizzano intorno all'immagine, suggerita fin dalla sua prima apparizione, di una maschera comico-patetica: cosí l'ombra le
scava i tratti e coglie in quella

« faccia molle e dipinta una maschera pietrificata in

un'espressione di *patetico* smarrimento » (p. 41).

Altrove

« Un sorriso *patetico* esitava sulla faccia dipinta della donna » (p. 22)

e anche i suoi occhi appaiono

« infiammati di *patetico* sarcasmo » (p. 29).

Il denominatore comune evocato dall'autore per i tratti e i gesti di Mariagrazia è qui l'attributo *patetico* e l'etichetta, isolata negli esempi suindicati, ritorna anche in abbinamento ad altri epiteti-tipo (teatrale, dignitosa, etc.).
Si veda qui nel caso di coppie congiunte:

« [...] nell'ombra la faccia immobile dai tratti inde-
cisi e dai colori vivaci pareva una maschera *stupida* e *patetica* » (p. 9);
« [...] il sorriso [...] s'allargò *patetico* e *brillante* »
(p. 23);
« [...] rispose Mariagrazia non senza una certa *patetica* e *teatrale* dignità » (p. 35);

o il caso di coppie disgiunte:

« [...] rigidamente seduta, col busto eretto e le mani
posate sui bracciuoli della poltrona, la madre [...]
era molto *degna, teatrale* [...] » (p. 256).

Tale connotazione fissa è riproposta anche da gruppi
di aggettivi: così la madre parla a Lisa, studiandosi di pa-
rer « *fredda, contenuta* e *dignitosissima* ». È ormai fin troppo chiaro che, per il sistema di correlazioni interne al testo, gli aggettivi stupida, patetica, teatrale, perdono la
loro innocuità e contingenza, rimandano alla prospettiva critica dell'autore, al suo progetto dell'opera. Dunque il
discorso sulla polivalenza delle funzioni riscontrate per lo
aggettivo singolo, vale anche per l'aggettivo doppio, frequentissimo anch'esso nel testo, dove si presenta come:
  a) coppia congiunta
  b) coppia disgiunta
  c) coppia consecutiva.

La coppia congiunta, che è anche il tipo piú diffuso di coppia aggettivale, nell'abbinamento di due attributi di contenuto semantico differente e ben distinto, svolge sí una funzione descrittiva (« la camicia era *bianca* e *fresca* », il colletto inamidato di un lino *brillante* e *candido* »), ma è anche la meglio consona a farsi espressione del giudizio del narratore in ambedue o in uno solo degli elementi del binomio. Cosí il gran letto matrimoniale di Lisa è

« di noce *cupo* e *volgare* » (p. 50)

e Lisa stessa parla a Michele

« con voce *patetica* e *melata* » (p. 57)

poi

« *flautata* e *falsa* » (p. 57)

o ancora

« *familiare* e *falsa* » (p. 59).

Alla coppia disgiunta, ovvero separata dall'asindeto, compete in generale l'incarico di illustrare situazioni o atti passeggeri, legati ad un immediato contesto; ad esempio Michele, quando si accorge dell'inganno di Lisa, è oppresso da un

« *leggero, fastidioso* disgusto » (p. 61)

ma sempre nella stessa scena il ragazzo vede la donna

« turbarsi e, [...] per sfuggire ai suoi sguardi, arrischiare un sorriso *impudico, svergognato* » (p. 62)

dove il crescendo della sequenza aggettivale porta in sé una carica denotativa critica che rimanda in fondo a un connotato-tipo del personaggio.

Il testo contempla anche il caso della *coppia consecutiva*, in cui la mancanza di interpunzione o di congiunzione favorisce la contaminazione semantica, cosicché i due attributi assolvono non ad accumulare dati, ma ad approfondire, a sottolineare un gesto, un modo di fare o di essere, in una linea di differenziazione minima, di gradazione. L'insistenza sulla fissità dell'espressione di Carla è, ad esempio, spia della sua indifferenza, della sua tranquillità tutta esteriore, del suo essere altrove:

« [...] cogli occhi *attoniti fissi* nel vapore della vivanda, Carla aspettava [...] » (p. 17).

Approfondimento che, per la sua matrice psicologica, coglie e mette a fuoco i sintomi e le oscillazioni dello stato d'animo del personaggio: cosí Carla, ascoltando i pettegolezzi della madre a proposito della signora Ricci, è punta da

« una *leggera dolorosa* impazienza » (p. 11)

e a Michele, che sta dando alla sorella la notizia della loro rovina economica, compare sulla faccia

« un sorriso *forzato squallido* » (p. 13).

E la definizione analitica cui tende in questo caso la scelta degli attributi non è esente da una sfumatura critica, come nel caso ad esempio della

« *falsa muta* protesta degli occhi » (p. 58)

di Lisa all'abbraccio del ragazzo Ardengo.
L'attrazione reciproca, l'affiatamento riscontrati nelle coppie di aggettivi si attenuano nei gruppi piú numerosi, in cui prevale la carica accumulativa, tesa a rendere, nei discorsi indiretti liberi dei personaggi, la foga del loro pensiero in formazione; è il caso delle

« fantasie *tenere crudeli eccitate* » (p. 53)

di Lisa sui futuri incontri con Michele: gli avrebbe preparato

« una tavola *piccola, ricca* e *scintillante*, per due, per due soltanto, [...] gli avrebbe parlato in tono *scherzoso, curioso, allusivo, materno* [...] » (p. 53).

O delle « *pazze, vaste, tristi* » immaginazioni di Carla:

« [...] tutto doveva essere *impuro, sudicio, basso* [...] » (p. 48)

e ancora:

« Creare una situazione *scandalosa, impossibile, piena* di scene e di vergogne [...] » (p. 48).

Quando la serie di aggettivi è presente nella narrazione vera e propria essa appare ordinata secondo un iter meno apparentemente casuale, magari in crescendo:

« [...] allora, per la prima volta, si accorse quanto *vecchia, abituale* e *angosciosa* fosse la scena che aveva davanti agli occhi [...] » (p. 10)

ma non acquista mai una valenza enfatica, tesa com'è a ricostruire analiticamente, nella successione degli attributi, la genesi dell'angoscia di Carla quale reazione alla abitudinaria immutabilità della realtà che la circonda.

Dunque ancora una volta l'aggettivazione rimanda a una rappresentazione analitica e critica che coglie nel segno la realtà mediante una selezione accuratissima degli elementi lessicali e soprattutto mediante un accorto sistema di ritorni, correlazioni, agganci, paragoni e trasfigurazioni, che giunge a restituire funzionalità a una parola consumata, stanca, al di là del suo effetto immediato.

In tal modo, facendo parlare una società che non ha piú niente da dire, Moravia le dà il linguaggio che si merita, ovvero ovvio, banale, ma riesce con tale scrittura precaria a comunicare integrale il senso del suo disfacimento.

PAGINE SCELTE DALLA CRITICA

La profezia di Borgese: « Gli indifferenti: un titolo storico »

[...] Il Moravia ha in comune con alcuni suoi coetanei una qualità d'intelligenza seria, grave, esperta dei vizi umani e del valore, supernutrita di osservazioni psicologiche cosí calme e esatte come se fossero reminiscenza di una lunga vita anteriore. In fondo ai personaggi egli e qualche altro san guardare senza batter ciglio, e non truccano niente coi frasarii. Questo psicologismo, ben solido, ben tridimensionale, non l'hanno certo appreso dal complesso della letteratura italiana di questi ultimi tempi, assai pregevole per altri versi, ma in psicologia piuttosto sempliciotta. Molto vi hanno contribuito guerra e dopoguerra, in cui queste anime di fanciulli, nell'età che ad altre generazioni largiva fiabe di nutrici, si sono sviluppate a forza come in incubatrici; donde quella sapienza, anche se a volte un tantino saccente, quelle maturità di « homunculi » nelle ampolle.

[...] Che qua e là la nostra attenzione sia interrotta da uno scatto di lirismo arbitrario non piegato alla disciplina della prosa, o chè l'autore, anche piú raramente, tenti bravure cubico-espressionistiche sceneggiando gli spigoli dei mobili o inseguendo l'ombre dei personaggi sulle pareti, queste sono inezie, piccoli difetti o piccoli eccessi che non turbano sensibilmente la fluidezza fresca e viva del racconto.

[...] Egli non narra con complicità perverse, benché neanche con austerità da moralista. È implacabile nel riferire particolari anche obbrobriosi, ma con una specie di coscienziosità obbiettiva che mezzo secolo fa si sarebbe detta naturalista o sperimentale; con un sentimento che vorrei chiamare di confidenziale ribrezzo. Ha l'aria d'un incantatore di serpenti; tiene in mano le brutte bestie, e sorride freddo.

Resta un enigma, soprattutto in un giovanissimo, la scelta di questo tema, testa di Medusa sottoposta a un riflettore. È dunque tradizione, dai romanzi di D'Annunzio e della Serao a Trilussa e a Pirandello novelliere, rappresentare cosí foscamente la vita del piacere e del bisogno a Roma moderna? Ma qui Roma c'è poco, sottintesa soltanto; la scena è di luci e di stoffe, come in certe messe in scena d'oggi. Il fatto può arieggiare in qualche modo alle fosforescenze guaste, non tanto delle novelle, quanto dei « Sei personaggi » pirandelliani; ma per la tecnica narrativa bisogna invece fare un gran salto e risalire nientemeno a Dostojevskij, a quell'immaginare congestionato che, scrutando ogni increspamento della subcoscienza, registran-

do ogni parola e ogni sospiro, accumula cento pagine su
una sola ora di vita. Penso all'*Idiota*, a *Umiliati e offesi*.
Qui, negli *Indifferenti*, tutto il dramma si svolge in tre
giorni, ed è vero dramma, con quattro personaggi quasi
sempre in scena, e Lisa quinta che talvolta sopraggiunge
e poi dilegua; senza pause, senza digressioni, senza né
un aneddoto né una comparsa.

Quante parentele e derivazioni! E Michele, il protagonista, non viene da altri libri nei quali questa annichi-
lante equivalenza dei motivi, questa dissolutezza del cuo-
re era già stata esplorata? Ma Moravia è Moravia, e l'autenticità del suo ingegno è fuori dubbio.

Si pensi al modo, veramente magistrale, in cui, quando
i quattro sono a tavola o in salotto, sorge, fatale, come
un disordine di natura, il battibecco; o al contrappunto
squisito e violento che il compositore ha saputo trarre dalle concordanze e discordie dei suoi quattro orridi strumenti, come da una specie di jazz. Soprattutto si pensi al
mirabile ritratto di Mariagrazia, l'amante sciocca; ritratto piatto, rosa, idiota, una cosa da Goya.

[...] Il romanzo, un po' scherzando, si può chiamare
Cinque Personaggi in cerca d'Autore ma si può anche dire che l'autore l'hanno bell'e trovato.

[...] Gl'indifferenti! Potrebb'essere un titolo storico.
Dopo i crepuscolari, i frammentisti, i calligrafi, potremmo avere il gruppo degl'indifferenti [...].

(G. A. Borgese, *Gli indifferenti*, in « Corriere della Sera », 21 luglio 1929.)

*Solmi: cornice naturalistica al « tragico contrasto tra l'im-
maginazione e la realtà »*

Per quanto molti caratteri di questo romanzo, e specie il tono staccato e crudamente realistico, siano evidentemente concertati ad offrirci la tradizionale « tranche de
vie » del naturalismo, non ci appaiono del tutto giustifi-
cate le asserzioni di quei critici che hanno voluto unica-
mente riconoscervi un freddo e abilissimo esperimento « in
corpore vili ». Del tutto fuori strada sono poi coloro che
hanno fatto i soliti nomi di Freud, Proust e Joyce, i quali,
nel caso nostro, nulla hanno a che vedere. Più intonati, se

pure generici, gli accenni a certa odierna letteratura russa, e a Dostojevskij. Insomma non bisogna lasciarsi troppo prendere dalla visione corposa e rilevata, dalle pagine azzardate dove l'esame sottile di stati sensuali e sessuali tramanda un vago odore di sala anatomica, dall'abilità, a volte quasi compiaciuta, con cui l'autore « smonta » i moti sentimentali dei suoi personaggi per lasciarcene intravedere il lato piú desolatamente meccanico, e non dimenticare che tutto l'interesse del romanzo s'impernia sulla figura di Michele, l'unica attraverso la quale, seppure in modo indiretto, l'autore giunge a manifestarsi e a dare un « tono » alle sue invenzioni.

[...] Il racconto dell'immaginario processo di Michele, e certi momenti interiori amari e profondi ci sembrano ancora piú promettenti del naturalismo abilissimo, ma un po' insistito e greve, che troviamo nelle altre parti.

[...] Questa intuizione di un perpetuo tragico scompenso tra l'immaginazione e la realtà, questo anelito alla schiettezza della vita vivente che non riesce ad incorporarsi e a germogliare nei fatti, e termina in una tetra prospettiva di remissione e d'oscuramento, ecco il contrasto che, per quanto espresso in termini un po' elementari, ci sembra costituire il fondo piú vero del romanzo, e il punto di partenza d'una critica comprensiva.

(S. Solmi, *Gli indifferenti*, in « Convegno », dicembre 1929; ora in *Scrittori negli anni*, Milano, Il Saggiatore, 1963.)

Pancrazi: a mezza strada tra due naturalismi

[...] Il fatto, l'intreccio, sono di quelli che la gente timorata racconta appena sottovoce. Cose vere, non si dice di no; ma che è convenuto ritenerle un po' inverosimili. Per ipocrisia? Talora l'ipocrisia è una forma larvata d'igiene.

[...] Quanto a sé, il Moravia non approva e non condanna: il suo compito è quello di raccontare, di dare verità ed evidenza ai fatti; e lo assolve con scrupolo davvero esemplare. Egli si tiene ugualmente lontano dalla compiacenza immoralistica degli esteti di cinquant'anni fa, e dalla volontà polemica dei naturalisti di allora. I quali dicevano sí, in teoria, che la virtú e il vizio sono prodotti di

natura, come lo zolfo e il vetriolo, ma nella pratica del-
l'arte loro erano ben lontani da questo agnosticismo, erano
anzi carichi di fini ideologici, di torti da vendicare, di giu-
stizie da stabilire; e quella stessa formula del vetriolo, apparentemente così oggettiva, nascondeva molta passione,
molta polemica contro gli « idealisti » e gli « esteti ». Il naturalismo integrale moralmente neutro o, peggio, indifferente, è, sí, una formula di cinquant'anni fa, ma la si ap-
plica a dovere soltanto oggi. I primi scrittori naturalisti fu-
rono naturalmente democratici; paradiso per tutti, ma su
questa terra; formula forse ingenua, ma umana. Oggi lo
scrittore naturalista non chiede l'inferno o il paradiso per
nessuno: per tutti un biglietto circolare senza ritorno;
ospedale, manicomio, camposanto. Freud continua Lombroso e, con l'apparenza di affinarlo, lo perverte. La psicanalisi fruca con le pinze del determinismo in quei lem-
bi dell'anima che ancora sembravano propri della coscienza e della volontà. Joyce è il romanziere di quest'ultimo naturalismo come Zola lo fu del primo. Cosí il materialismo
è in marcia; i limiti concessi alla volontà, all'ideale, alla
libertà dell'uomo vanno via via riducendosi. In confronto
di Freud il dissolvitore, Lombroso ha ancora l'aspetto di
un missionario laico, di un apostolo. Di fronte a Joyce, Zola è dritto e quadrato come un classico.

   Non caricherò le spalle del Moravia di tanto peso, di
tanti significati. Ma insomma mi pare che questo scrittore
giovanissimo sia rimasto a mezza strada tra i due naturalismi. Nessuna eco in lui della polemica che animava
segretamente il naturalismo democratico: vizi e virtú sono per lui davvero prodotti naturali, come zolfo e vetriolo; ma è vero anche che egli non sconfina mai nella
zona morbida della psicanalisi, i suoi personaggi non fanno né abuso né uso di sogni, in lui nessuna illazione arbi-
traria dagli istinti alla volontà, dal corpo all'anima. Quando il Moravia rifiuta la taccia di ulissismo e l'appellativo
di joyciano, è nel vero. Tre delle quattro figure che nel romanzo importano: la vecchia Mariagrazia vana verbosa e
gelosa; la figlia Carla che, pur di cambiare, si dà a Leo,
per noia; e questo Leo libertino animalesco — sono tre
figure ritagliate in un naturalismo pesante, pedante, piuttosto di stampo tedesco, ma certo lontane da ogni psicanalisi. Troppa poca psiche in questi signori, per poterci ten-

tare su un'analisi sia pure freudiana. Resta il quarto personaggio, il giovanissimo Michele. E se da principio Michele somiglia un po' un dilettante, un posatore, o addirittura un manichino dell'indifferenza, e il romanzo, accentrato in lui, stagna, piú avanti, quando si deciderà all'azione, l'abulico Michele sembrerà portato via da un'aria dostojevskiana. Le pagine che lo descrivono avviato alla casa di Leo, per ucciderlo, e lo scenario fantastico ch'egli intanto prevede nel tempo; l'uccisione, il tribunale, il processo; sono non solo le piú belle, ma le piú promettenti del libro; quelle da cui probabilmente il Moravia ricomincerà.

Abbiamo ricordato Dostojevskij, s'è parlato di naturalismo; potremmo aggiungere che ci sono scene realistiche di una evidenza persino repulsiva; interni, ambienti simmetrizzati con un gusto metafisico, gesti colti e fermati, con un sorriso tra ironico e allucinato; nudi di donna ritratti con gusto pesante, come nature morte; arrivi, partenze, incontri di personaggi, risolti con forse ironica banalità teatrale; insomma il Moravia sa trarre partito da tutto, sa valersi di tutte le tecniche e di tutte le estetiche, tutto rapisce e impasta in un'unica prosa efficace e un po' piatta, con gesto franco, piglio certo; e la macchina del romanzo va avanti greve, pedante, ma inesorabile come una livellatrice. In questo giovanissimo scrittore meravigliano il metodo, la tecnica, e la conseguenza con cui sono perseguiti. Perché anche l'arte sua meravigli, e finisca di piacere, vorremmo piú respiro, piú aria; l'alito di una finestra aperta su questo chiuso maleodorante girone.

(P. Pancrazi, *Gli indifferenti*, in « Pegaso », agosto 1929, anno I, n. 8.)

Sarfatti: una sconcertante immoralità

[...] Ciò che veramente sbigottisce, è l'assenza di un criterio morale sincero e profondo. Il Moravia non si ribella al criterio convenzionale corrente, per inalberarne uno suo proprio, sia pure errato. Accetta il bene e il male come pregiudiziali di uso comune, e non riesce a credervi. Lo vorrebbe e non può [...]. In verità, è difficile trovare un libro piú crudelmente privo, non dico del senso eroico

della vita, ma persino di ogni sorriso di intelligente e sana
bontà.

(M. Sarfatti, in « Il Popolo d'Italia », 25 settembre
1929.)

La critica razzista di F. Agnoletti

[...] L'ultima immondizia di cui mi accorgo sul mio
pianerottolo è *Gli indifferenti* di Pincherle Moravia, ignobile romanzaccio, tutto giudeo, la cui indecenza interiore
trasuda fino sulla copertina postribolare, anch'essa dise-
gnata da un giudeo. Se si pensa che queste pagine di finta
prosa strofinata nella cocaina sono andate a ruba, che critici dal cerebro stupefatto hanno osato lodarle, che le spe-
dizioni punitive e i falò per ragioni imperturbabili non si
vogliono piú « colà dove si puote », altro non rimane da
fare, in odio ai libri schifosi, che occuparsi dei libri gene-
rosi e segnalarli ai fascisti.

(F. Agnoletti, in « Il Bargello », 1929, n. 17.)

*Campanile: la stroncatura da parte della cultura ufficiale
fascista*

[...] Nelle prime pagine specialmente, battute di dialogo sciatte, puerili, di una sorprendente cafoneria. E in seguito si cerca invano la pagina che ti elevi, che dia vi-
brazioni, che ti riporti alla luce e ti inabissi, anche questo
ci si può aspettare dal capolavoro, fra quelle tenebre.

[...] Una madre con l'amante; una figlia che ruba l'a-
mante alla madre; un figlio che assiste e solo pensa; e poi,
sempre, oscene nudità, osceni desideri, sorda, malata libidine. Oh, la sana voluttà! Ma dov'è? Nulla di travolgente;
qui la natura è proprio abortita; nemmeno è mostruosa,
orrenda. Ci sono vecchi satiri, dagli occhi scintillanti e
dalle froge aperte, nella vita; ci sono giovani insaziabili,
senza molti scrupoli; femmine avide, con bramosie bestia-
li, ma gente che fa quello che il Moravia ci fa vedere, francamente quella dev'essere una conoscenza solo sua, personalissima, una esperienza che nessuno ha desiderio di
contestargli, tanto è soggettiva. Ne rimanga padrone, pa-
dronissimo.

[...] Ci sono affermazioni indegne, da ricacciare in gola a chi le pronuncia: « sciagurata figura del nostro tempo corrotto ».

Di quale tempo parla il Moravia? Del suo tempo; forse dei suoi giorni, e delle sue ore; non del nostro tempo, ché il nostro è cosí chiaro, luminoso, puro, che dal contrasto risulta palese la sua indegnità... Quanta bellezza da sette anni! Campi in rigoglio, officine sonanti, opere grandiose, canti e canti; dolcissimi canti di amore, vibranti canzoni di guerra, inni di vita.

[...] Roma splende di una luce meridiana. Il Genio, oggi, la guida. Povero giovinotto, fa pietà. Compatirlo bisogna, il povero Moravia, egli è sordo e cieco, seppellito com'è nel truogolo.

(A. Campanile, in « Antieuropa », 15 novembre 1929.)

Bocelli: non un documento ma una rappresentazione lirica, esistenziale

[...] Con *Gli indifferenti* Moravia ci ha dato non, come da taluno si è frainteso, un documento di certa corrotta società contemporanea, ma la storia — vibrante, nella sua apparente trasandatezza, impersonalità e crudeltà, d'un intenso lirismo — di uno spirito giovanile alla ricerca ansiosa di se stesso, di qualcosa che lo affranchi dalla tediosa opacità dei sensi.

(A. Bocelli, in *La letteratura italiana nell'ultimo decennio*, « Scuola e cultura, Annali della istruzione media », sett.-nov. 1932.)

Battaglia: un romanzo realista

[...] La realtà che l'autore traduceva negli *Indifferenti* e i modi linguistici di cui si valeva, accusavano una franchezza morale e una disinvoltura tecnica veramente singolari e, in gran parte, inedite nella nostra letteratura contemporanea. Quel che colpiva in questo suo primo romanzo era la convergenza di un contenuto ostensivamente immorale e squallido, con un'espressione secca e sbrigativa, anch'essa disadorna e impoetica. [...] A vent'anni egli possedeva in forma pressoché compiuta i mezzi tecnici di cui disporrà in seguito, fino ad oggi. Raramente [...] uno scrittore si è rivelato di colpo e per intero fin dalla prima opera, come ha fatto Moravia con *Gli indifferenti*. [...] In un'epoca di crisi sociale e di fremiti rivoluzionari, l'appello al realismo è per se stesso un segno di protesta e di denunzia. Implica una violenta accusa della struttura morale; è la brutale rivelazione di una parte della società che non è piú quella postulata o vagheggiata, o simulata dall'etica ufficiale.

(S. Battaglia, *La narrativa di Moravia e la defezione della realtà*, in « Filologia e letteratura », Anno VIII, Napoli, Loffredo, 1962.)

Sanguineti: stile ideologico e strutture verbali della coscienza borghese moderna

[...] La condanna del proprio ambiente, del solo ambiente noto, non può fondarsi dunque che in rapporto alla proiezione ideale che l'ambiente stesso propone, nella sua patente falsificazione ideologica, come la propria immagine autentica, non può cioè che documentarsi sulla verifica del grandissimo divorzio che si apre tra la proiezione stessa e la squallida condizione reale [...].

Gli indifferenti segnano, nella nostra letteratura narrativa, l'atto definitivo di morte del buon senso borghese, non per frontale eversione, del che si dovrebbero cercare documenti in una zona assai lontana dall'arte di Moravia, ma per semplice svuotamento interno, ovvero, come già dicevamo, per semplice deformazione. È quel « buon senso » degradato a volgare « senso comune » che riempie delle sue formule esaurite e stancamente opache pagine e pagine del romanzo, per dare voce ormai soltanto al miserabile egoismo e alla pallida ottusità morale di questi personaggi perduti. E tutto qui appare colto dal vivo, con quasi repellente fedeltà al vero, come captato da un ideale magnetofono non certo attento a una riproduzione meccanica, in un senso grezzamente naturalistico, ma tale da poter registrare, con una ferma caratterizzazione delle piú tipiche strutture logiche e verbali, lo stile ideologico e culturale di un ambiente, di una classe. È questo « buon senso » in decomposizione che dà voce alla stupidità di Mariagrazia, al cinico affarismo di Leo, al grottesco sentimentalismo di Lisa, e persino, si badi bene, all'angoscia morale dei due protagonisti, alla stessa insofferenza di

Carla e alla stessa indifferenza di Michele: e basterebbe, per quest'ultimo eroe, pensare alle sue fantasticherie prima del delitto mancato, intorno al delitto stesso e al conseguente processo, fantasticherie in cui trova meschino sfogo e compenso tutta la sua pratica impotenza, cosí che egli possa consolare, in certo modo, la propria incapacità di un tragico decoro: il che qui si configura, sempre con forte realismo critico, come uno strano, ambiguo impasto di grandezza dostojevskijana e di teatrale volgarità da « reportage » di cronaca nera. Né sarebbe poi difficile, in generale, antologizzare ad arte zone assai vaste del romanzo, al fine di comporre una sorta di nuovo, aggiornato *Dictionnaire des idées reçues*, poiché, da questo punto di vista, *Gli indifferenti* sono, anzitutto, una enciclopedia delle sciocchezze della conversazione media borghese di ambizioni mondane in stile familiare, e come nei colloqui si raccoglie un terribile repertorio topico, cosí nei monologhi interiori dei personaggi, una formidabile collezione dei luoghi comuni della coscienza borghese moderna.

(E. Sanguineti, *Alberto Moravia*, Milano, Mursia, 1962.)

Barilli: indifferenza come malattia del secolo

[...] Il dramma di Michele è il dramma di chi non riesce piú ad agire in modo univoco, obbedendo di volta in volta a un solo motivo ispiratore o abbandonandosi a una passione ben delineata. A ben vedere, la situazione del protagonista presenta tutti i connotati tipici dell'« umorismo » pirandelliano: Michele infatti non può fare a meno di scorgere, in ogni occorrenza, quale sarebbe la soluzione « naturale », quella che ogni altra persona « normale », nei suoi panni e alla sua età, seguirebbe senza troppo pensarci: scattar di generosa ira di fronte all'invasione e ai soprusi dell'ospite indesiderato, di Leo; vendicare l'onore della sorella; approfittare dell'amore facile offertogli dalla compiacente Lisa. Queste appunto, di volta in volta, le vie naturali, prevedibili. Ma all'atto di imboccarle, la risolutezza di Michele è frenata dal fatto che al suo sguardo si aprono altre vie, altre soluzioni; le molte possibilità si elidono tra loro e il risultato è l'inazione, l'incapacità di agire, l'« indifferenza » per usare la parola tematica che Moravia stesso ci propone. « Indifferenza » che ben inteso non è impassibilità nel senso etimologico del termine, ovvero incapacità di sentire: Michele al contrario sente piú degli altri, benché, ancora una volta, non nei luoghi e nelle circostanze in cui ci si attenderebbe che una persona normale « senta », provi dolori e reazioni [...].

I connotati che abbiamo ravvisato in Michele sono gli stessi di un'enorme e generale « malattia del secolo », di cui hanno testimoniato tutti gli scrittori piú intrinsecamente legati al nostro tempo. Della possibilità di un accostamento a Pirandello ci siamo valsi subito in apertura; non meno possibile l'accostamento a Svevo, i cui protagonisti ci si mostrano invariabilmente vittime di una sfasatura, di un « andar giú di giri » rispetto alle esigenze della vita. Sullo sfondo non mancheremo di evocare la casistica eliotiana degli *hollow men*, degli uomini vuoti, dell'aridità dei sentimenti; o i '« grigi » eroi joyciani, su cui piú che le volizioni e le passioni forti fan presa le epifanie, le manifestazioni vivide di brani di esistenza dappóco e insignificanti; o l'equidistanza rispetto a tutte le parti univoche mantenuta dal musiliano *Uomo senza qualità*. Un riferimento ancor piú pertinente potrà poi andare al Sartre de *La Nausée*, al Camus de *L'Etranger*.

(R. Barilli, *Moravia dall'« indifferenza » alla « noia »*, in *La barriera del naturalismo*, Milano, Mursia, 1964.)

Manacorda: ragioni storiche di un successo

[...] « *Gli indifferenti* nella mia intenzione » Moravia scriverà molti anni dopo « non voleva essere che un romanzo, ossia un'opera letteraria scritta secondo determinati criteri puramente letterari. Ma la critica e il pubblico ci videro una violenta polemica sociale che c'era senza dubbio ma che io non avevo avuto intenzione di metterci. Io non mi ero mai occupato di politica e i miei interessi erano soltanto letterari. L'accoglienza ostile di una parte della critica piú ufficiale e delle autorità mi costrinse, per cosí dire, a rendermi conto della vera natura del romanzo o per lo meno di alcuni aspetti di esso ». La polemica, se non era esplicita nelle intenzioni dell'autore era implicita nella fedeltà del rispecchiamento di una certa società medio-borghese spogliata della maschera di un virtuoso perbenismo e ridotta ai suoi veri predicati che sono, costantemente nella diagnosi moraviana, il denaro e il sesso; il che vuol dire, dal punto di vista ideologico, la società guardata attraverso i parametri delle dottrine di Marx e di Freud che tuttavia Moravia, allorché scriveva « Gli indifferenti », conosceva poco o nulla .[...].

Ne *Gli indifferenti*, in realtà, non c'è nemmeno piú la pretesa di fingere una fede etica, sí che ci troviamo davanti al quadro piú spietato (ed anche piú inaspettato in quegli anni), una sorta di specchio in cui la società italiana, distratta a rimirarsi in vesti pompose e trionfanti, era costretta a guardarsi.

(G. Manacorda, *Moravia*, in *Novecento*, Bologna, Calderini, 1974.)

III

ESERCITAZIONI

Onde fornire suggerimenti per una pratica verifica delle acquisizioni dei lettori de *Gli indifferenti*, ci sia permesso suggerire alcune esemplificanti esercitazioni.

Non meravigli che alla fine di un saggio, cosiddetto critico, si inviti chi ha parallelamente fruito, e dell'opera dell'autore-scrittore, e del giudizio che ne hanno dato i vari commentatori nel tempo e in questa stessa occasione, a tentare di avviare una propria analisi testuale.

Lo spirito della collana vuol giustamente arrivare a stimolare nei lettori, piú o meno occasionali, la critica personale, traendo spunto da quanto è stato detto sull'opera in sé e sulla operazione letteraria specificamente isolata nei suoi valori di forma e di contenuto o, meglio ancora, di struttura.

1. *Reperire nelle parti narrative, ovvero di specifica pertinenza dell'autore, esempi di costruzione paratattica, che serve a conferire alle descrizioni dei luoghi e dei personaggi l'assetto della didascalia di tipo teatrale.*

2. *Indicare i casi in cui l'autore riferisce il pensiero dei personaggi mediante il discorso indiretto libero.*

3. *Al fine di evidenziare l'uso mimetico e insieme ironico-critico del linguaggio da parte di Moravia reperire negli inserti dialogati le frasi fatte, le espressioni stereotipe, gli elementi lessicali stranieri, che risultano funzionali alla localizzazione socio-culturale dell'ambiente rappresentato.*

4. *Indicare esempi di similitudini che, avvicinando co-*

stantemente due termini nella direzione astratto-concreto, aumentano la capacità rappresentativa del testo in linea con il progetto drammatico moraviano.

5. Reperire i casi in cui metafore e paragoni per immagini rispondono ad una funzione deformante, caricaturale, ora ironica, ora grottesca, della realtà rappresentata.

6. La frequenza degli aggettivi nel testo e la ripetizione di elementi qualificativi identici o simili, a proposito degli stessi personaggi o degli stessi ambienti, va di là dalla semplice funzione illustrativa, perde la sua innocuità, per raggiungere l'effetto di una tipicizzazione di volta in volta espressionistica, evocativa, comica etc. Indicare alcuni esempi di aggettivi, singoli, doppi o in gruppo e alcuni casi di iterazione degli stessi, in cui si accampi dall'interno il giudizio critico dell'autore.

IV

CRONOLOGIA DELL'AUTORE

1907 Alberto Moravia nasce a Roma, nel villino di famiglia dei Pincherle (è questo, com'è noto, il vero nome dello scrittore) in via Sgambati, davanti a Villa Borghese.

1916 Compare la malattia, una tubercolosi ossea secca, che si protrae per piú di nove anni.

1920 Frequenta il Ginnasio « Tasso », ma irregolarmente a causa della malattia.

1922 Dà gli esami di quinto Ginnasio ed è promosso. In ottobre inizia il primo Liceo, ma, dopo due mesi, un attacco piú forte della tubercolosi gli impedisce di proseguire gli studi.

1923 Passa lunghi mesi « con dolori atroci » tra la vita e la morte per una cura sbagliata.

1924 Moravia è ricoverato nel sanatorio « Codivilla » a Cortina d'Ampezzo, dove rimane fino al settembre del 1925.

1925 Lasciato il sanatorio, Moravia si trasferisce per la convalescenza a Bressanone, in provincia di Bolzano, dove inizia a scrivere il romanzo *Gli indifferenti*.

1927 Collabora a « '900 » (« Cahiers d'Italie et d'Europe »), la rivista di Massimo Bontempelli, ove pubblica il racconto *La cortigiana stanca* e, piú tardi, *Delitto al circolo del tennis*.

1928 Collabora alla rivista romana diretta da Luigi Diemoz e Libero De Libero « Interplanetario », ove pubblica quattro racconti: *Cinque sogni, Assunzione in cielo di Maria Vergine, Albergo di terz'ordine, Villa Mercedes*. Nel febbraio esce su « I Lupi », la rivistina romana diretta da Gian Gaspare Napolitano e Aldo Bizzarri, *Il dialogo tra Amleto e il principe di Danimarca*.

1929 A luglio esce il romanzo *Gli indifferenti* per le edizioni Alpes di Milano con un contributo spese di cinquemila lire dello stesso Moravia.

1930 Pubblica su « Pegaso » di Ojetti e Pancrazi il racconto *Inverno di malato*. Inizia una serie di viaggi all'estero, prima a Londra, poi a Parigi.

1934 Parte per New York, chiamato da Prezzolini alla Columbia University, dove rimane fino al maggio del 1935.

1935 Pubblica da Mondadori il suo secondo romanzo *Le ambizioni sbagliate* ed i racconti de *La bella vita* per i tipi dell'editore Carabba.

1936 Moravia ritorna in Italia e si stabilisce temporaneamente a Positano. A novembre conosce la scrittrice Elsa Morante, tramite il pittore Capogrossi.

1937 Pubblica il romanzo *L'imbroglio*. Compie un viaggio in Grecia, dove rimane sino alla fine del 1938.

1938 Collabora a « La Stampa » diretta da Malaparte e alla « Gazzetta del Popolo ». Per motivi razziali firma « Pseudo » i suoi articoli.

1940 Dà alle stampe i racconti surrealistici e satirici de *I sogni del pigro*. Esce *La mascherata*.

1941 Moravia sposa la scrittrice Elsa Morante. A Capri inizia a scrivere *Agostino*.

1943 Escono i racconti de *L'amante infelice*. Dopo l'8 settembre, per evitare l'arresto, Moravia fugge con Elsa Morante verso Napoli ed è costretto a rifugiarsi nella zona di Fondi in una cascina.

1944 Pubblica per la casa editrice Documento una serie di racconti scritti senza firma durante la guerra: *L'epidemia, cartoni surrealisti*. Pubblica per la stessa casa editrice il romanzo *Agostino*, che vince l'anno dopo il primo premio letterario del dopoguerra, il Premio del Corriere Lombardo.

1945 Pubblica *Due cortigiane* e *Serata di Don Giovanni*. Inizia la collaborazione giornalistica a « Il Mondo », « Corriere della Sera » e « L'Europeo ».

1947 Pubblica il romanzo *La Romana*.

1948 Pubblica il romanzo *La disubbidienza*.

1949 Pubblica *L'amore coniugale e altri racconti*.

1951 Con il romanzo *Il conformista* Moravia si pone davanti al problema fascista osservandolo « dentro la coscienza di un borghese ».

1952 Moravia pubblica *I Racconti*, con cui vince il Premio Strega.

1953 Con Alberto Carocci fonda la rivista « Nuovi Argomenti », alla cui direzione si unirà in un secondo tempo anche Pier Paolo Pasolini.

1954 Pubblica *Racconti romani*, a cui viene assegnato il Premio Marzotto, e il romanzo *Il disprezzo*. Su « Nuovi Argomenti » appare il saggio *L'uomo come fine*, scritto fin dal 1946.

1957 Moravia pubblica il romanzo *La ciociara*. Inizia a collaborare a « L'Espresso » fondato a Roma da Arrigo Benedetti nel 1955, ove cura una rubrica di critica cinematografica.

1958 Scrive due testi teatrali *La mascherata* e *Beatrice Cenci*.

1959 Pubblica *I nuovi racconti romani*.

1960 Pubblica il romanzo *La noia*.

1962 Si separa da Elsa Morante. Pubblica i saggi *Un'idea dell'India*.

1963 Pubblica i racconti de *L'automa*. Inizia la relazione con Dacia Maraini.

1964 Raccoglie tutti i suoi saggi in *L'uomo come fine*.

1965 Pubblica *L'attenzione*, un discusso esperimento di « romanzo nel romanzo ».

1966 Si dedica molto in questi anni al teatro. *Il mondo è quello che è* viene rappresentato per la prima volta a Venezia in occasione del Festival del Teatro contemporaneo. Scrive *Il dio Kurt*.

1967 Pubblica i racconti di *Una cosa è una cosa*. Su « Nuovi Argomenti » esce *La chiacchiera a teatro*. Compie un viaggio in Cina, con corrispondenze per il « Corriere della Sera » riunite in volume l'anno successivo.

1968 *Il dio Kurt* viene rappresentato nell'inverno a L'Aquila, Roma e Milano. Pubblica *L'intervista* e *La rivoluzione culturale in Cina*. Su « Nuovi Argomenti » Moravia pubblica *Omaggio a James Joyce, ovvero il colpo di Stato*.

1969 Pubblica *La vita è gioco*, che viene messo in scena al Teatro Valle di Roma con la regia di Dacia Maraini. Pubblica *L'immaginazione*.

1970 Pubblica i racconti de *Il paradiso*.

1971 Pubblica il romanzo *Io e lui*, a cui viene assegnato il premio « Il Libro dell'anno ». Su « Nuovi Argomenti » appare il saggio di Moravia *Poesia e romanzo*.

1972 Pubblica *A quale tribú appartieni?*, un libro di viaggio sull'Africa.

1973 Pubblica una raccolta di racconti, *Un'altra vita*.

1975 Pubblica *Al cinema*.

1976 Esce *Boh*, un'altra raccolta di racconti.

1977 Pubblica *Tre storie della preistoria*, « favole » apparse sul « Corriere della Sera », con illustrazioni di Flaminia Siciliano.

1978 Pubblica il romanzo *La vita interiore*. Nello Aiello intervista Moravia sul rapporto scrittore-potere: *Intervista sullo scrittore scomodo* è il titolo con cui viene pubblicata in una collana di tascabili.

1980 A cura di Renzo Paris esce la raccolta di saggi *Impegno controvoglia*. Presso Sellerio viene recuperato un suo vecchio racconto lungo, *Cosma e i briganti*.

1981 Pubblica *Lettere dal Sahara*, un libro di viaggio in forma epistolare sull'Africa.

1982 Pubblica il romanzo *1934* e la raccolta di favole, apparse cul « Corriere della Sera », *Storie della preistoria*. Vengono pubblicate presso Rusconi le *Lettere Prezzolini-Moravia*.

1983 Pubblica la raccolta di racconti *La cosa*.

1984 Viene eletto deputato al Parlamento europeo come indipendente nelle liste del PCI con 260.000 voti. Sul « Corsera » inizia le sue corrispondenze da Strasburgo dal titolo « Diario europeo ». Su « Nuovi Argomenti » viene pubblicato il testo teatrale *La cintura*, che sarà interpretato da Marina Malfatti.

1985 Pubblica il romanzo *L'uomo che guarda*.

1986 Il 27 gennaio Moravia sposa a Roma con rito civile la trentunenne Carmen Llera, impiegata presso la casa editrice Bompiani, che aveva conosciuto due anni prima. Bompiani pubblica nella « Collana dei Classici », appena varata, *Opere* (1927-1947), a cura di Geno Pampaloni. Escono *L'angelo dell'informazione e altri scritti teatrali* e, a cura di Renzo Paris, *L'inverno nucleare*.

1987 Il 28 novembre lo scrittore compie 80 anni. Esce *Passeggiate africane*. Il racconto *L'avaro* viene pubblicato nelle edizioni dell'Argonauta. Moravia si reca a New York per presentare il romanzo *L'uomo che guarda*, appena tradotto in inglese.

1988 Pubblica il nuovo romanzo *Il viaggio a Roma*.

1989 In giugno, a cura di Enzo Siciliano, escono presso Bompiani le *Opere* (1948-68). In agosto esce il racconto lungo *Il vassoio davanti alla porta*, pubblicato nei tascabili Bompiani e distribuito in maggio con un numero dell'« Espresso ».

1990 Esce il volume di racconti *La villa del venerdì*. Il 26 settembre Moravia muore improvvisamente, per arresto cardiaco, nel suo attico romano. Esce dopo cinque anni di preparazione *Vita di Moravia*, una autobiografia « sollecitata » dalle domande di Alain Elkann, in un'intervista che si snoda per quasi trecento pagine. Moravia, che ha portato a termine con Elkann il lavoro fino alla stesura definitiva, non fa in tempo a vedere pubblicato il volume.

1991 Esce postumo il romanzo *La donna leopardo*.

1993 Esce postumo *Diario europeo*.

V
NOTA BIBLIOGRAFICA

I. OPERE DI ALBERTO MORAVIA

1. NARRATIVA

Gli indifferenti, Milano, Alpes, 1929.
La bella vita, Lanciano, Carabba, 1935.
Le ambizioni sbagliate, Milano, Mondadori, 1935.
L'imbroglio, Milano, Bompiani, 1937.
I sogni del pigro, Milano, Bompiani, 1940.
La mascherata, Milano, Bompiani, 1940.
L'amante infelice, Milano, Bompiani, 1943.
L'epidemia, cartoni surrealisti, Roma, Documento, 1944.
Agostino, Roma, Documento, 1944.
Due cortigiane, Roma, L'Acquario, 1945.
La Romana, Milano, Bompiani, 1947.
La disubbidienza, Milano, Bompiani, 1948.
L'amore coniugale e altri racconti, Milano, Bompiani, 1949.
Il conformista, Milano, Bompiani, 1951.
Racconti, Milano, Bompiani, 1952.
Il disprezzo, Milano, Bompiani, 1954.
Racconti romani, Milano, Bompiani, 1954.
La Ciociara, Milano, Bompiani, 1957.
Nuovi racconti romani, Milano, Bompiani, 1959.
La noia, Milano, Bompiani, 1960.
L'automa, Milano, Bompiani, 1962.
L'attenzione, Milano, Bompiani, 1965.
Una cosa è una cosa, Milano, Bompiani, 1967.
Il Paradiso, Milano, Bompiani, 1970.
Io e lui, Milano, Bompiani, 1971.
Boh, Milano, Bompiani, 1976.
La vita interiore, Milano, Bompiani, 1982.
1934, Milano, Bompiani, 1982.
La cosa, Milano, Bompiani, 1983.
L'uomo che guarda, Milano, Bompiani, 1985.
Opere (1927-1947), a cura di G. Pampaloni, Milano, Bompiani, 1986.
Il viaggio a Roma, Milano, Bompiani, 1988.
Opere (1948-1968), a cura di E. Siciliano, Milano, Bompiani, 1989.
Il vassoio davanti alla porta, Milano, Bompiani, 1989.

La villa del venerdí, Milano, Bompiani, 1990.
La donna leopardo, Milano, Bompiani, 1991.

2. TEATRO

Teatro (La mascherata, Beatrice Cenci), Milano, Bompiani, 1958.
Il mondo è quello che è, Milano, Bompiani, 1966.
Il dio Kurt, Milano, Bompiani, 1968.
La vita è gioco, Milano, Bompiani, 1969.
L'angelo dell'informazione e altri scritti teatrali, Milano, Bompiani, 1986.

3. SAGGI E RESOCONTI DI VIAGGIO

La Speranza, Roma, Documento, 1944.
Un mese in URSS, Milano, Bompiani, 1958.
Un'idea dell'India, Milano, Bompiani, 1962.
L'uomo come fine, Milano, Bompiani, 1964.
La rivoluzione culturale in Cina, Milano, Bompiani, 1967.
A quale tribú appartieni?, Milano, Bompiani, 1972.
Al cinema, Milano, Bompiani, 1975.
Impegno controvoglia, Milano, Bompiani, 1980.
Lettere dal Sahara, Milano, Bompiani, 1981.
L'inverno nucleare, Milano, Bompiani, 1986.
Passeggiate africane, Milano, Bompiani, 1987.
Diario europeo, Milano, Bompiani, 1993.

II. BIBLIOGRAFIA DELLA CRITICA SU « Gli indifferenti »

UNGARETTI G., *Un romanzo* (a proposito de *Gli indifferenti*), in « Tevere », 9 giugno 1929.

BORGESE G. A., *Gli indifferenti*, in « Corriere della Sera », 21 luglio 1929 (riportato nel volume di O. Del Buono, *Moravia*, Milano, 1962).

LANOCITA A., *Gli indifferenti*, in « L'Ambrosiano », 30 luglio 1929.

PANCRAZI P., *« Gli indifferenti » di Alberto Moravia*, in « Pegaso », I, n. 8, agosto 1929 (ora in *Scrittori d'oggi*, II, Bari, Ltterza, 1946).

FRATEILI A., *Un romanzo del nostro tempo*, in « La Tribuna », 13 agosto 1929.

ROCCA E., *Tappe del romanzo tedesco e letteratura italiana*, in « Critica fascista », 1° settembre 1929.

RAVEGNANI G., *Scrittori nuovi*, in « La Stampa », 25 settembre 1929.

SARFATTI M., *Gli indifferenti*, in « Il Popolo d'Italia », 25 settembre 1929.

PIOVENE G., *Su Alberto Moravia*, in « Libra », sett.-ott. 1929.

AGNOLETTI F., *Zaino in spalla*, in « Il Bargello », 1929, n. 17.

CAMPANILE A., *Stroncatura di Moravia*, in « Antieuropa », 15 novembre 1929.

SOLMI S., *Gli indifferenti*, in « Convegno », dicembre 1929 (ora in *Scrittori negli anni*, Milano, Il Saggiatore, 1963).

FERRATA G., *Un modo di saturazione*, in « Solaria », gennaio 1930, V, I.

BOCELLI A., *La letteratura italiana nell'ultimo decennio*, in « Scuola e cultura, Annali dell'istruzione media », sett.-nov. 1932.

IOVINE F., *Novelle di Moravia*, in « L'Italia letteraria », 2 marzo 1935.

MONDRONE D., *Cinismo e sfacelo nell'arte di Alberto Moravia*, « La civiltà cattolica », 1938 (ora in *Scrittori al traguardo*, I, Roma, La civiltà cattolica, 1947).

PAVOLINI C., *Gli indifferenti di Moravia nella riduzione per il teatro*, in « Fiera letteraria », 18 aprile 1948.

FALCONI C., *Dagli indifferenti a St. Germain*, in « Fiera letteraria », VI, II, 1951.

ALBERTI G., *Gli indifferenti*, in *Fatti personali*, Firenze, 1958.

DE TOMMASO P., *Il lento cammino di Moravia*, in « Belfagor », XVI, 2, 1961.

LIMENTANI A., *Alberto Moravia tra esistenza e realtà*, Venezia, Neri Pozza, 1962.

SANGUINETI E., *Alberto Moravia*, Milano, Mursia, 1962.

BARILLI R., *La barriera del naturalismo*, Milano, Mursia, 1964.

CIMMINO N. F., *Lettura di Moravia*, Roma, Volpe, 1966.

DAVID M., *La psicoanalisi nella letteratura italiana*, Torino, Boringhieri, 1966.

CANE E., *Il discorso indiretto libero negli Indifferenti di Moravia*, in « Sigma », 16 dicembre 1967 (ora in *Il discorso indiretto libero nella narrativa italiana del '900*, Roma, Silva, 1969).

LONGOBARDI F., *Moravia*, Firenze, La Nuova Italia, 1968.

SCHETTINO F. R., *Polivalenza e funzione critica dell'aggettivo negli Indifferenti*, in « Forum Italicum », III, 3, 1969.

PAMPALONI G., *Storia della letteratura italiana, Il Novecento*, vol. IX, Milano, Garzanti, 1969.

BATTILANA M., *Critica letteraria e psicanalisi*, in « Prospetti », giugno 1970.

REBAI L., *Alberto Moravia*, New York, 1970.

WLASSICS T., *Il paesaggio dell'indifferenza: lo sfondo degli Indifferenti di Moravia*, in « Sigma », 28 settembre 1971.

BALDINI MEZZALANA B., *Alberto Moravia e l'alienazione*, Milano, Ceschina, 1971.

SICILIANO E., *Alberto Moravia*, Milano, Longanesi, 1971.

PANDINI G., *Invito alla lettura di Moravia*, Milano, Mursia, 1973.

STRAPPINI L., *Le cose e le figure negli « Indifferenti » di Moravia*, Roma, Bulzoni, 1978.

ESPOSITO R., *Il sistema dell'indifferenza. Moravia e il fascismo*, Bari, Dedalo, 1978.

AJELLO N. (a cura di), « Al tempo degli *Indifferenti* », in *Moravia. Intervista sullo scrittore scomodo*, Bari, Laterza, 1978.

BASILE B., « Lo specchio e la finestra ne *Gli indifferenti* di Moravia », in AA.VV. (a cura di E. Raimondi e B. Basile), *Dal «Novellino» a Moravia. Problemi della narrativa*, Bologna, Il Mulino, 1979, pp. 241-287.

LUPERINI R., « Gli indifferenti », in *Alberto Moravia: dalla coscienza della crisi alla crisi della coscienza*, Bari, Laterza, *La letteratura italiana. Storia e testi* di AA.VV. (a cura di C. Muscetta), vol. X, tomo I, 1980, pp. 238-253.

RAGNI E., « Alberto Moravia », in *Letteratura italiana contemporanea* (a cura di G. Maraini e M. Petrucciani), Roma, Lucarini, 1980, vol. II, pp. 742-753.

CARPI U., *« Gli indifferenti »* rimossi *(con le pagine sommerse, 1928)*, in « Belfagor », a. XXXVI, n. 6, 30 novembre 1981, pp. 696-709.

CARPI U., *L'esordio « avanguardistico » di Moravia*, in « Critica letteraria », 1982, a. X, fasc. I, n. 34, pp. 78-90; ora in CARPI U., « Alberto Moravia », in *Un'idea del '900* (a cura di P. Orvieto), Roma, Salerno Ed., 1984, pp. 283-297.

SICILIANO E., « Gli indifferenti », in *Alberto Moravia. Vita, parole, idee d'un romanziere*, Milano, Bompiani, 1982, pp. 37-43.

R. MELE, *La scena ripetuta (Gli indifferenti di Moravia)*, « Misure critiche », a. XIII, n. 48, luglio-settembre 1983.

INDICE DEI NOMI

INDICE GENERALE

STAMPATO
PER CONTO DEL GRUPPO UGO MURSIA EDITORE S.P.A.
DA « L.V.G. »
AZZATE (VARESE)